KB163709

성상 파괴주의와
성상 옹호주의

차례

Contents

서구에 가해진 폭력

서구 문화 혹은 서구적 인식을 한마디로 어떻게 부를 수 있을까? 시대적 흐름에 따라 변모되어 나타난 하나의 대표적 양상을 지칭하여 서구적이라고 부를 수도 있을 것이고, 그들이 자신의 문화에 대하여 부여한 특질을 그대로 수용하여 그것을 서구 문화 혹은 인식의 표준으로 삼을 수도 있을 것이다. 그래서 우리는 서구를 합리주의 문화권이라고 부르기도 하고, 기독교 문화권이라고 부르기도 하며 이원론적 인식의 문화권이라고 부르기도 한다. 그런데 우리는 서구 문화의 다양하고 변화하는 양상의 출현을 가능하게 한 일종의 근원적 뿌리까지 고려하겠다는 야심을 가질 때 성상 파괴주의(iconoclasme)라는 단어를 발견한다. 프랑스의 사회학자이자 인류학자인 질베르 뒤랑(Gilbert Durand)이 성상 파괴주의를 서구의 고질적인 풍토병이라고 말했듯이 이미지, 상상력을 멸시하고 억압하는 인식은 서구가 어떤 변모의 길을 밟아 왔건 그들의 온갖 철학·인식·사상·정신을 물들여 왔다. 그리고 성상 파괴주의는 사회제도와 일상의 삶의 인식에서도 지배력을 발휘해 왔기 때문에 서구의 인식을 그 근원에서 살펴보는데 적합한 용어이고 따라서 우리에게 보다 폭 넓은 관점을 제시해줄 수 있다.

그러므로 우리가 서구의 성상 파괴주의와 성상 옹호주의라는 제목 하에 고찰해 보려고 하는 것은 서구가 보여주는 인식 중의 특정한 어느 하나의 면모가 아니다. 우리는 성상 파괴주의와 성상 옹호주의라는 제목 하에 서구의 통시적(通時的)인 변모와 공시적(共時的)인 다양성을 두루 관통하고 있는 서구정신의 뿌리를 살펴볼 것이며, 그러한 뿌리가 시대에 따라 또한 문화의 여러 층위에 따라 어떻게 변주되어 나타나는가도 살펴볼 것이다.

성상(聖像) 파괴주의가 무엇이고 성상 옹호주의(iconolâtrie)가 무엇인가를 이해하기 위해서 우리는 우선 성상(icône)의 의미부터 알아야 할 것이다. 어원상으로 성상은 그 무엇과 닮은 것을 뜻한다. 성상(icône)의 어원인 그리스어 아이콘(Eikon)은 호머(Homer) 이래로 주로 시각적인 것을 표현하기 위해서 쓰였으며 실재하는 것(réalité), 즉 객관적으로 존재하는 대상을 그와 닮은 꼴로 재생한 것을 의미했다. 꿈속의 이미지 등 정신적으로 그 무언가를 재현해 낸 경우에도 아이콘이라는 단어가 쓰였으며 초상화나 조각상 등의 물리적인 현실을 물질적으로 재현해 낸 경우에도 쓰였다. 그 단어가 기독교(특히 그리스 정교)에서 목판에 새긴 성화상(聖畵像)을 의미하게 된 것은 훨씬 훗날로서 그리스 정교에서 성화 숭배의 전통을 형성하면서이다.

따라서 우리는 현재 사용되고 있는 의미대로 iconoclasme을 성상 파괴주의라고 번역했지만 엄밀하게 말한다면 성상 파괴주의라기보다는 이미지 파괴주의라고 번역하는 것이 옳을 것이다. 프랑스의 철학자인 뷔넨뷔르저(Wunenburger)의 견해대로 "지각(知覺)의 관점에 따라 현존하거나 부재(不在)하는 물질적 대상(의자 같은 것들)과 관념적 대상(추상적인 숫자 또는 초월적 존재)을 구체적 또는 감각적으로 재현해낸 것을 이미지라고 부를 수 있다"고 할 때 앞에서 우리가 그 어원상의 의미를 살펴본 성상은 바로 실재하는 것을 재현해낸 이미지 전체를 가리키는 것이라고 보아도 좋기 때문이다.

또한 가장 단순하게 말한다면 그러한 이미지를 낳는 힘을 상상력이라고 부를 수 있다. 즉, 실재하는 대상을 사람이 재현해낼 때 그 대상에 의미를 부여하거나 가치를 부여하면서 그 대상을 변형시켜서 표현하는 기능을 상상력이라고 폭넓게 정의할 수 있는 것이다. 그렇다면 서구의 성상 파괴주의란 이미지와 상상력을 억압하고 경시하는 인식론적 경향이라고 보아도 무방하다. 성상 파괴주의를 그렇게 정의 내릴 수 있다면 우리는 성상 파괴주의란 단어를 금방 서구의 합리주의와 연결시킬 수 있게 된다.

라틴어 rationalis란 단어에서 유래한 합리주의는 아주 간단히 말한다면 비합리적이거나 우연적인 것을 배척하고 이성적이고 논리적이고 필연적인 것을 중시하는 태도를 말한다. 즉, 합리주의는 이성과 논리가 이 세상을 지배하고 있다고 믿으면서 그러한 이성과 논리에 입각하여 이 세상과 우주의 존재법칙을 파악하는 것을 그 목표로 한다. 따라서 합리주의는 이 세상 및 우주를 지배하는 '유일한 진리' '객관적 진리'를 파악하는 데 도움이 되지 못하거나 방해가 되는 직관·주관적 감정 등을 배격한다. 그리고 그러한 합리주의적 태도에 가장 방해가 되는 것이 바로 상상력이다. 따라서 합리주의적 인식에서 이미지와 상상력은 무슨 수를 써서라도 배격해야만 하는 것이 된다. 절대 진리의 존재에 대한 확신에 차 있으면 이미지와 상상력은 절대 진리의 비슷한 표현이나 사이비(似而非)적 표현으로 간주될 수밖에 없고, 결국은 진리의 훼손으로 간주될 수밖에 없는 것이다.

그렇다면 우리는 왜 서구 인식의 뿌리를 살펴보려고 의도하면서 합리주의란 단어 대신 성상 파괴주의라는 단어를 선택한 것인가? 그 이유는 간단하다. 서구의 합리주의는 성상 파괴주의라는 커다란 범주의 한 변주에 불과하기 때문이다. 그 두 표현이 절대 진리의 이름 하에 이미지나 상상력을 억압한다는 뜻에서는 그 의미가 같다고 볼 수도 있다. 하지만 합리주의는 일반적으로 17세기 프랑스의 철학자인 데카르트(René Descartes)가 확립한 철학으로 알려져 있으며, 인간의 이성을 중시하는 형이상학적 인식이다. 그것이 표방하는 진리는 인간 이성에 의하여 포착되는 진리이다. 그러나 애초의 성상 파괴주의에서의 진리는 인간의 인식 밖에 존재하는 진리이다. 따라서 합리주의의 진리는 보다 협소한 진리이다. 따라서 합리주의는 서구적 인식의 근원을 보여주는 인식이라기보다는 서구의 인식 형태가 변형되어 나타난 하나의 철학이라고 보는 것이 옳다. 절대 진리를 옹호한다는 기본 원칙은 같지만, 그 진리의 내용은 한결 협소해진 것이다. 우리가 서구의 인식의 근원을 살펴보려면 합리주의를 살펴보는 것만으로는 불충분하며 17세기의 합리주의를 낳은 인식론적 뿌리가 무엇인가까지 거슬러 올라가야만 한다.

앞서 말했듯이 우리가 성상 파괴주의라는 용어를 사용한 것은 서구의 주된 인식론적·철학적인 경향을 낳게 한 근원까지 거슬러 올라가서 그들의 인식과 그 변형된 모습을 살펴보려고 의도했기 때문이다. 따라서 합리주의라는 부분적인 변주만을 살펴보면서 그러한 의도를 충족시킬 수는 없다. 다시 말하자. 성상 파괴주의는 서구의 고질적인 풍토병이다. 그리고 합리주의는 그러한 풍토병이 드러낸 증상 중에 하나일 뿐이다.

우리의 의도를 명확히 하기 위해 합리주의라는 것을 다시 한번 정의해 보기로 하자. 합리주의를 다른 식으로 표현한다면 이 세상에는 절대 진리라는 것이 존재하고 있으며, 인간이 해야 할 일은 그 절대 불변의 진리를 파악하는 데 있다고 보는 태도이다. 그리고 그러한 진리를 획득하는 유일한 방법이 이성을 발휘하는 것이라는 것이다. 그 중 우리가 강조해야 할 것은 바로 '절대 불변의 진리'에 대한 '절대적 믿음'이며 그것이, 합리주의를 낳은 근간이다. 그 말은 합리주의를 '절대 불변의 진리'에 대한 '절대적 믿음'에 입각한 서구의 근본적 인식의 한 변주로 간주할 수 있다는 것을 의미한다. 변함없는 것은 절대 진리에 대한 믿음이며 변화한 것은 그 절대 진리의 내용이다. 우리에게 우선 중요하게 여겨지는 것은 바로 절대 진리에 대한 믿음의 태도이다. 절대 진리에 대한 절대적 믿음은 이 세상을 진리·거짓, 선·악, 순수·불순의 이원론적 구조로 바라보는 태도와 자연스레 연결된다. 따라서 우리는, 우리가 서구의 성상 파괴주의라는 단어를 사용하면서 필경 서구 인식의 근원이라고 할 수 있는 이원론부터 살펴볼 수밖에 없게 된다. 그런 후 서구의 이원론이 옹호하는 것이 무엇인가 하는 내용에 대해 고찰하면서 서구의 로고스 중심주의를 살펴보게 될 것인데, 그것은 서구의 이원론에 대해 이해한 후가 될 것이다.

이원론(dualisme)

흔히 우리는 서구의 인식론에 대해서 로고스 중심주의에 입각한 이원론적 세계관이라고 말한다. 하지만 이원론은 대립되는 두 항을 설정하는 태도로, 로고스는 단순히 이성 정도로 이해될 뿐 그에 대한 개념적 정리가 제대로 되어 있다고 볼 수는 없다.

우선 이원론(二元論)부터 살펴보기로 하자. 가장 일반적인 의미에서 이원론은 근본적으로 배타적인 두 개의 현실 혹은 원칙이 설정되어 있는 경우를 지칭하는 것으로 받아들여진다. 그리고 그러한 이원론적 태도는 가치 판단이나 윤리적 선택의 문제에 있어 대립과 배제의 원칙을 근간으로 하고 있다.

마니케이즘(manichéisme, 마니교)[1)]

이원론적 태도를 가장 대표적으로 보여주는 것이 기독교 전통에서의 마니케이즘(manichéisme)이라고 할 수 있다. 3세기의 창시자 마니(Mani)의 이름에서 유래한 마니케이즘은 그 자체 '이원론적인 세계관'이라고 번역되기도 한다. 그런데 마니교는 오랫동안 기독교 내부에서 이단으로 간주되어 왔는데, 기본적으로는 영지(靈知)주의적(gnostique)이고 구세주에 의한 구원을 신봉하는 구조(救助)론적인 종교관을 갖고 있는 종교가 기본적으로 이원론적인 기독교 내부에서 이단으로 간주되었다는 것은 역설적이기도 하다. 그 이유가 무엇일까?

마니케이즘에 의하면 내세와 현세는 선과 악의 대결 구조에서 결국 선이 승리하는 3단계로 이루어진다. 그 3단계는 각각 과거, 현재, 미래로 나누어지며, 과거는 첫 단계이고 현재는 중간 단계이며 미래는 최종 단계이다. 그 첫 단계(과거)에서는 선과 악, 빛과 어둠이 완벽한 이원성으로 대결하고 있다. 그리고 중간 단계(현재)는 바로 우리의 실존적인 단계를 말하는 바 그 대립되는 원칙 두 개가 은밀하게 뒤섞여 있다. 이어서 최종 단계(미래)에서는 애초에 악, 어둠과 분리되어 있던 선과 빛이 그것들과 뒤섞여 있던 상태에서 벗어나, 즉 새롭게 분리되어 본래의 모습과 영역을 되찾는 단계이며, 바로 인간 영혼의 승리 단계이다.

대표적으로 이원론적인 태도를 보여주는 마니케이즘이 이

원론적인 종교라 할 수 있는 기독교 내부에서 이단으로 탄압 받은 것 역시 그 이원성의 과격함 때문이다. 극단적 마니케이즘의 인식에서 선과 악이 뒤섞여 있는 현세는 창조주의의 선한 의지에 의해 창조된 세계로 인정받기보다는 불순한 것으로 부정될 소지가 있기 때문이다.

예를 들어, 성 아우구스티누스(Saint Augustin)[2)]는 그 어떤 타협도 거부하며 우리 인간 조건의 중재자 혹은 매개자로서 필수불가결한 이 세상 자체(현세)를 배격할 위험이 있는 교리라고 마니케이즘을 가장 격렬하게 비난했다.

실제로 마니케이즘적인 이원론에서 가장 중요한 것은 선과 악 혹은 어둠과 빛의 완벽한 분리이다. 그 교리에서 그 둘은 절대적으로 그 성격이 다르고 그것을 낳게 한 근원이 다르다. 그래서 그 대결 구조는 영원하다. 즉 그 둘이 타협할 여지는 전혀 없다. 그러한 철저함에 의하여 현세에 대한 관점은 비극적으로 될 수밖에 없다. 현재 세상이란 본래 빛의 왕국에서 지내던 영혼이 그로부터 추락해서 어둠의 권능에

성 아우구스티누스.

사로잡힌 채 신음하고 있는 곳이기 때문이다. 마니케이즘이 영지론적인 것은 영혼의 정화를 통한 구원을 궁극 목표로 하고 있기 때문이며, 그것이 구조론적인 것은 중간 단계의 끝에서 영혼을 구조해줄 영지적인 사자(使者)의 도움을 필요로 하기 때문이다.

마니케이즘에서 올바른 기독교 신자란 자신의 영혼의 본 모습을 완벽하게 회복하기 위해 가혹할 정도로 엄격한 수행을 행하는 자이다. 그러한 태도가 추구하는 것은 어둠 혹은 악으로부터 완벽하게 정화된 본래의 선한 영혼의 모습이며, 그러한 영혼이 자신의 본래의 고향으로 돌아가는 것이다.

이원론의 강화 : 카타리파(cathares)[3)]

마니케이즘은 이원론의 전형적인 모습을 보여주지만 이원론적인 세계관 자체도 고정불변적인 것은 아니다. 그러한 이원론 자체가 더욱 강화되어 나타날 수도 있고 완화되어 나타날 수도 있는 것이다. 우선 이원론이 강화되면 어떤 형태의 인식으로 나타나는지를 살펴보자.

마니케이즘적인 이원론은 선과 악의 철저한 분리와 그 대결 구조의 영원성을 특성으로 한다. 마니케이즘은 그 둘이 뒤섞이지 않고 완벽하게 분리된 상황에서 영혼이 본래의 순수성을 회복하는 것을 목표로 한다.

하지만 어둠이나 악으로부터의 분리를 통해 정화를 이루겠다는 욕구를 순수를 향한 한없는 열망이라고 해석할 때, 그러한 순수를 향한 열망이 강할 때는 악으로부터의 단순한 분리를 기다리기보다는 어둠과 악의 격퇴를 통해 순수한 가치를 획득하려는 적극적인 의지가 강화되어 나타날 수 있다. 그리고 한 걸음 더 나가서는 악의 실체 자체를 부정하는 방향으로 이어질 수도 있다.

우리는 그러한 이원론이 한층 강화되어 나타난 모습을 기독교 역사에서도 찾아볼 수 있는데, 그것은 10세기부터 13세기까지 불가리아에서 나타났던 보고밀(bogomile)파와 11세기부터 13세기까지 이탈리아 중부, 특히 프랑스 남부를 중심으로 해서 일어났던 카타리파이다(아마도 보고밀파의 영향을 받은 것으로 간주된다). 그 두 교파를 모두 마니케이즘적인 전통의 연장선상에서 이해하는 것이 일반적인 경향인데, 그 세부적인 교리는 마니케이즘적인 이원론을 한층 강화한 것이라고 보는 것이 옳을 것이다. 그 중 카타리파의 교리에 대해서 간략히 살펴보기로 하자.

카타리교파에서는 지도자급에 속하는 사람들을 '완전자들'이라고 불렀다. 완전자들은 죄의 용서를 받은 자들이며 선의 왕국으로 들어갈 수 있는 특전을 지닌 사람들로 간주되었는데, 누구든 일단 완전자의 지위에 오르면 그는 순결 그 자체의 상징으로 순결한 삶을 영위해야만 했다. 그들은 성적으로도 순결 상태를 유지해야 했으며, 재산도 소유할 수 없었고, 육류를 먹는 것도 금지되었다. 극도의 고행을 통해 절대 순결을 유지해야만 했던 것이다. 일견 경건하기 그지없는 신앙으로 무장한 듯이 보이는 그들의 교리가 탄압을 받은 것은 무엇 때문일까? 다시 반복하지만 그것은 그들의 순결을 향한 믿음이 너무 강했기 때문이었다.

그들의 극단적 이원론은 마니케이즘처럼 가시적인 현세를 선과 악이 혼융(混融)된 상태로 보지 않는다. 악의 존재 자체를 강하게 부정하는 그들에게 악이 엄연히 실존하고 있는 현세는 부정의 대상으로서 악 자체가 된다. 그들의 순수를 향한 열망은 악이 뒤섞인 현세를 인정할 수 없게 만드는 것이다. 따라서 그들에게 악이 현존하고 있는 현세는 악신(惡神)에 의해서 창조된 것이며 오직 영적인 세계만이 선신(善神)에 의해서 창조되었다고 믿었다. 그런 그들에게 이 세계 내에서 창조주(創造主)의 선한 의지를 발견하려 하는 것은 어불성설이다. 그들에 의하면 이 세계는 잘못 창조된 것이며, 이 세계가 잘 창조되었다고 믿는 자들은 악의 꼬임에 넘어간 자들일 뿐인 것이다. 어떻게 선한 의지로 가득한 창조주가 악이 들끓고 있는 이 세상을 창조했겠느냐는 것이 그들의 생각이었다. 그래서 그들은 진정한 세계 창조는 아직 이루어진 것이 아니라고 믿었다. 그들의 그러한 믿음은 이 세계는 창조주에 의해 창조되었다는 기독교의 정통 교리에 정면으로 배치되는바 기독교적인 이원론을 강화시킨 자리에서 그들은 기독교의 극심한 탄압을 받을 수밖에 없었던 것이다.

오랜 권태에 사로잡혀 신음하는 마음 위에
무겁게 내리덮인 하늘이 뚜껑처럼 짓누르며,
지평선의 틀을 죄어 껴안고, 밤보다도 더욱
처량한 어두운 낮을 우리에게 내리부을 때,

대지가 온통 축축한 토굴 감옥(土窟監獄)으로 변하고,
거기서 '희망'은 박쥐처럼 겁먹은 날개로
마냥 벽돌을 두들기며, 썩은 천장에
머리를 이리저리 부딪치며 떠돌 때,

내리는 비 광막한 빗발을 펼쳐
드넓은 감옥의 쇠격자(格子)처럼 둘러칠 때,
더러운 거미들이 벙어리 떼를 지어
우리 뇌 속에 그물을 칠 때면,

별안간 종들이 맹렬하게 터져 울리며
하늘을 향하여 무시무시한 고함을 지르니,
흡사 고향을 잃고 떠도는 정령들이
끈질기게 울부짖기 시작하는 듯.

……그리곤 북도 풍악도 없는 긴 영구차 행렬이
내 넋 속을 느릿느릿 줄지어 가는구나.
'희망'은 꺾여 눈물짓고 잔인 난폭한 '고뇌'가
내 푹 숙인 두개골 위에 검은 기를 콱 꽂는구나.

(샤를르 보들레르의 「우울 *Spleen*」)

마니케이즘이 강화되어 나타난 극단적인 이원론적 세계관은 프랑스의 유명한 상징주의 시인인 보들레르(Baudelaire)의 시 몇 편에서도 발견할 수 있다. 그의 「우울 *Spleen*」이라는 시를 보면 이 세상은 하늘이라는 뚜껑에 뒤덮인 채 빗줄기가 창살 구실을 하는 지하 감옥일 뿐이다. 적어도 그 시만 놓고 보면 보들레르에게 이 세상은 유배지일 뿐이며 그 안에서는 아무런 구원이 있을 수 없다. 이 세상 전체를 악으로 간주하고 자신의 고향은 이 세상이 아니라고 인식하는 것은 순수를 향한, 이상을 향한 열정이 하도 드높기 때문이기도 하며 이 세계에 존재하는 악 전체를 통째로 부정하고 싶은 열망이 강하기 때문이기도 하다. 따라서 이원론이 강화된 자리에서 악은 그 존재 자체가 강하게 부정되고 타기(唾棄)의 대상이 된다. 이원론에서 이항 대립적 성격이 약화되고 한쪽이 강화된 경우를 독단론(monisme)이라고 부른다. 우리는 다원적 인식을 억압하는 배타적인 인식을 가리키려는 의도에서 일원론이라는 단어를 사용하는 경우가 많은데, 그 경우 그 단어는 독단론이라는 단어로 바꾸어야 한다는 사실을 지적해야만 할 것이다. 즉, 일원론과 독단론을 착각하거나 혼용하는 경우가 많다는 것인데 그에 대한 자세한 내용은 뒤에 다시 살펴보기로 하자.

이원론에 대한 중간 정의

이제까지의 서술을 바탕으로 이원론을 다시 한번 정리해

보기로 하자. 이원론은 우리가 일반적으로 생각하고 있는 것처럼 대립하고 있는 두 요소가 공존하고 있거나 그 요소들을 두루 수렴할 수 있는 상호 대립적인 두 개의 항을 설정했을 경우를 지칭하지 않는다. 중요한 것은 그 둘 간의 관계이다. 그 둘 사이는 분리되어 대결하고 있으며, 그러한 대결 구조가 영원할 것, 그것이 바로 이원론의 기본 속성이다.

미리 이야기하는 것이지만 이원론과 일원론을 단순히 대립되는 항목을 설정했느냐 아니냐 정도로 구분해서 이해한다면 이 세계를 선·악의 대립으로, 진실·거짓의 대립으로 보는 태도와 이 세계를 음·양의 조화로 보는 경우의 차이가 밝혀지지 않으며 두 태도 모두 이원론에 입각해 있다고 잘못된 결론을 내릴 수도 있다. 그때 독단론을 일원론으로 오해하는 일이 벌어진다. 이원론적인 태도와 일원론적인 태도의 차이는 대립되는 두 항의 설정 여부가 아니라 그 대립되는 항 사이의 관계를 어떻게 보느냐에 따라 결정된다. 예컨대 한 사람의 행위를 놓고 그 행위는 선한 행동이나 악한 행동의 어느 항 중의 하나이고, 그 둘은 서로 양립 불가능하다고 보는 태도가 이원론적인 태도이다. 즉, 엄밀한 의미의 이원론이란 '대립하는 두 항이 너무나 철저하게 상호 부정적이거나 양립 불가능한 까닭에, 그 두 항 사이에서 그 둘을 아우르거나 통일시킬 수 있는 그 어떤 상호 관계도 발견할 수 없거나 아니면 발견해 내려는 의지 자체가 아예 배제되어 있는 경우'[4]를 말한다. 따라서 이원론적인 태도는 이 세계를 선 아니면 악, 진실 아니면 거짓

등의 대립으로 파악하면서, 그 대립 항들 사이에는 그 어떤 동질적 요소도 존재하지 않는 길항적인 관계가 존재하는 것으로 본다. 그리고 그 이원론이 극단으로 흐르면 대립 항들 중 선(善)과 진실의 이름으로 다른 항은 퇴치되어야 하는 태도가 가능해지고 그 태도가 바로 독단론이다. 즉, 대립되거나 이질적인 요소의 존재 자체를 인정하지 않는 것이 이원론이 강화된 독단론이다. 따라서 우리 말 사전에서 monisme을 일원론으로 번역해 놓은 것은 커다란 잘못이다.

이러한 이원론적인 태도는 우리의 인식과 태도의 여러 분야에서 각기 다른 모습으로 나타날 수 있다. 이원론적인 관점으로 우주를 바라보면 세상은 밝음과 어두움, 즉 낮과 밤의 대립되는 항으로 분리되고, 그 관점으로 인간을 바라보면 인간은 여성과 남성으로 구분되며, 사람의 행위를 윤리적 관점에서 이원론으로 본다면 선과 악으로 구분되며, 인간의 영혼과 육체도 존재론적으로 구분되며, 종교적으로 현세와 내세가 모두 구분된다. 그리고 그 구분되는 것들 사이에 대립적 배타성이 존재한다는 사실이 그 태도와 인식들 간의 공통 분모이다.

완화된 이원론

앞에서는 이원론이 강화되어 독단론으로 흐르게 되는 경향에 대하여 살펴보았다. 하지만 이원론은 때로는 강화되기도 하고 때로는 약화되기도 하는 것이 상정인바 그 역의 경우 또한 살펴보아야 할 것이다. 즉, 대립되는 두 항이 설정되어 있되 그 이원성, 즉 양립 불가능성이 현저하게 약화되어 있는 경우가 바로 그것이다. 예를 들어 대립되는 항들이 환원 불가능성은 분명히 지니고 있되, 그 중 한 항의 절대성이 약화되는 경우를 상정할 수 있다.

여기서 중요한 사실 한 가지를 지적하기로 한다. 그것은 우리가 그 근원성에서 이원론과 일원론을 나누어 고찰하고 있으나 어떤 의미에서 절대적인 이원론이나 절대적인 일원론이라는 것이 고정적이고 불변적으로 존재하는 것은 관념상으로만 가능할 뿐 실제적으로는 불가능할 수도 있다는 것이다. 명백히 이원론적인 뿌리를 두고 있는 인식이나 종교에서 그 이원성이 약화되는 경우를 얼마든지 찾아볼 수 있는 것이다. 앞서 이원론으로 예를 든 마니케이즘 내부에서도 이원론이 완화되는 모습을 찾아볼 수 있지만 더욱 쉽게 그러한 모습을 보여주는 대표적인 경우가 이란의 아리만(Ahriman)과 오르무즈드(Ormuzd) 신화이며, 그 신화에 바탕을 둔 마즈데이즘(mazdéisme)이다.

전문가들에 의하면 인류사에서 이원론의 역사를 거슬러 올라가면 고대 이란에 이르게 되고, 그 중에서도 특히 그 기원을 마즈데이즘에 두고 있다고 하며, 그것이 정설이기도 하다. 아리만과 오르무즈드는 고대 이란의 종교인 마즈데이즘에서 주역을 맡고 있는 두 신의 이름이며, 그 중 오르무즈드는 선한 신이고 아리만은 악한 신이다. 마즈데이즘의 초기 형태인 조로아스터 교리로만 보자면 그 둘은 명백히 대립되어 있고, 그러한 대립성은 사람이 태어날 때부터 죽은 후까지도 영원히 지속하게 되어 있다. 조로아스터교는 결국 우리에게 아리만과 오르무즈드 사이에 가로놓여 있는 영구적인 결별과 배척을 통해 끝내 화해를 거부하는 극단적인 분리주의자의 선별의식을 보여준다. 게다가 그 교리의 종국은 선한 신인 오르무즈드의 승리로 귀결짓게 되어 있다. 여기까지는 선과 악의 분리가 철저하다는 의미에서 살펴보았던 마니케이즘의 길과 그대로 부합된다고 보아도 된다.

그러나 마즈데이즘의 한 유파인 제르바니즘(zervanisme)에 이르면 상황이 상당히 달라진다. 그 교리에 의하면 지금은 아리만이 세상을 지배하고 있지만 일정한 시간이 지나 이 세계의 종말이 오게 되면 그로부터는 오르무즈드가 세상을 다스리게 되어 있다는 것이다. 기독교의 종말론과도 흡사한 그러한 교리는 현세에 대하여 비관적이고 염세적이라는 면에서는 조로아스터교와 다를 바가 없는 듯이 보이기도 한다. 그러나 그러한 사상에서는 엄격하기만 하던 이원론의 체계에 다소의 변화가 있음이 감지된다.

엄격한 이원론의 입장에서 보자면 선과 악의 대립은 평행선을 그으며 영속할 수밖에 없다. 그러나 제르바니즘에 의하면 두 신은 현재와 미래라는 시간 속에서 대립되고 있다. 즉, 영원한 대립이라는 숙명에 시간이라는 가변성이 개입하게 된 것이다. 현재와 미래의 대립이란 영원한 현재끼리의 대립과는 달리 시간이 흘러가면 어쩔 수 없이 하나에서 다른 하나로의 이행을 허락하는 대립이다. 게다가 임기를 정해놓고 자리를 바꾼다면 그 둘 사이에 일종의 계약이 맺어져 있는 것이라고 볼 수밖에 없다. 그렇게 본다면 메시아주의적인 성격을 띤 제르반의 교리는 오르무즈드와 아리만 사이에 체결된 일종의 계약서라고 볼 수도 있는 것이다. 그리고 그러한 계약은 상대방이 나와는 다르다는 것을 인정하면서 동시에 그렇게 다른 상대방의 존재를 인정하고 그와 교섭했음을 의미하는 것이다.

제르반 조각상.

비록 같은 이원론에 기초를 두고 있다고 하더라도 양자 간의 전적인 부정과 다소의 교섭이 있으면서 상대방을 인정하는 태도에는 커다란 차이가 있다. 결국 제르바니즘은 시간 개념을 이용하여 대립하고 있는 두 주인공으로 하여금 은밀한 교섭과 내통을 허락한 셈이다. 이는 아직 완전히 일원론이라고 부르기는 어려울 것 같지만 최소한 완화된 이원론이라고 불러도 좋을 것이다.

즉, 완화된 이원론이란 존재론적으로 영구히 대립할 수밖에 없다고 여겨지던 요소들 간에 어떤 식으로든 소통의 빌미가 마련되고 상호 인정의 발판이 마련된 인식을 뜻한다고 보면 될 것이다. 그리고 그러한 상호 이해의 인식이 확대되어 이질적인 것 간의 화해와 공존의 원리가 하나의 바탕을 이룰 때의 인식을 일원론이라고 부른다.

이원론에서 일원론으로 : 다원주의의 길

우리가 앞서 살펴본 제르바니즘 신화의 변모를 끝까지 추적하다 보면 이원론을 극복하고 세계와 인간에 대해 일원론적인 설명을 구하려 했던 고대 이란 사람들의 노력은 다음과 같은 교리에도 분명하게 나타나 있다.

> 그 무한대의 총체를 혹자는 신이라 부르기도 하고 혹자는 시간이라 이르기도 한다. 하여간 그로부터 두 존재가 분화되어 나오니 그 하나는 선한 신이며, 다른 하나는 악한 악마이다. 또 혹자들이 말하기로는 이 두 존재로부터 빛과 어둠이 생겨났으며 이것들이 어울려 자연 속에 다양성을 빚어내면서 두 계열의 우등한 존재들을 형성했으니 이 두 계열의 머리 위에는 제각기 오르무즈드와 아리만이 자리잡고 있다.[5]

위의 인용에 의하면 오르무즈드와 아리만은 제르반이라는 같은 어버이를 둔 쌍둥이이다. 선과 악으로 대립되어 있던 두 존재가 핏줄로 맺어진, 떼어놓으래야 떼어놓을 수 없는 관계로 발전한 것이다. 이제 이 둘은 제르반이라는 보다 높은 총체적 가치와 조화를 구성하기 위해서는 서로가 서로를 반드시 필요로 하는 그런 필요불가결한 요소로 변모한 것이고, 그 둘은 서로 합해서 하나가 되면서 제르반이라는 지고의 가치를 만들어 낼 수 있다고 보아도 좋은 것이다.

이쯤 되면 이원론에서 출발했다고 하는 제르바니즘도 세상을 음과 양으로 나누고 그 음과 양이 '태일(太一)'에서 비롯되었다는 동양의 일원론과 구조적으로 큰 차이가 있다고 보기 어려워진다.

여기서 음과 양의 대립의 경우를 예로 들어 일원론의 개념을 다시 살펴보기로 하자. 표면적으로 보기에 선과 악의 대립과 그 용어상으로만 차이가 나 보이는 음과 양의 대립은 그 내용에서 이미 그 대립의 절대성이 끼어들 여지가 없게 되어 있다. 예컨대 햇빛 쨍쨍 내리쬐는 한낮의 거리와 불을 켜놓은 실내, 불을 꺼놓은 실내의 밝기를 상호간의 음양 관계로 짝지어 보자.

한낮의 거리와 불을 켜놓은 실내를 대비시켰을 때는 전자가 양이 되고 후자가 음이 된다. 그러나 불을 켜놓은 실내와 불을 꺼놓은 실내를 대비시키면 앞의 대립에서는 음이었던(불을 켜놓은 실내) 것이 상대적으로 양이 된다. 즉, 음과 양은 서로 넘나드는 것이며 음·양의 대립은 절대적 대립이 아니라 정도의 차이에 따른 상대적 대립이라는 것을 알 수 있다.

그리고 우리는 또 한 가지 중요한 사실을 알 수 있으니, 그것은 음 내부에는 양적인 요소가, 양 내부에는 음적인 요소가 들어있다는 사실이다. 생각해 보라. 현상적으로는 음의 모양 혹은 양의 모양을 하고 있지만 그것이 태일에서 갈라져 나온 동일 핏줄이라고 생각하는 것은 이미 그 둘 각각의 내부에 그 둘을 맺어줄 수 있는 공통 요소가 들어있다는 생각으로 자연스럽게 이어질 수 있지 않은가? 현상적으로는 음·양의 대립되는 모양을 하고 있지만 음양론에는 그 현상들을 낳게 한 모태, 최초의 원인은 동일하다는 생각이 들어있으며, 바로 그렇기에 음과 양 사이에는 대립과 배제의 원칙보다는 조화와 균형의 원칙이 더 강하게 작용하고 있는 것이다.

이해를 돕기 위해 한 가지 예를 더 들어보기로 하자. 우리가 흔히 저지르는 오류 중의 하나가 태극 문양(☯)과 일장기의 문양(●)을 놓고 전자를 이원론적이라고 후자를 일원론적이라고 규정하는 태도이다. 하지만 사실은 그 정반대이다. 태극 문양의 이질적인 두 항은 대립하고 있다기보다는 조화롭게 어우러져 있다. 그것들은 겉모양이 다르다고 해서 싸우지 않는다. 따라서 우리는 태극 문양에서 이질적인 것들을 조화롭게 만드는 보이지 않는 큰 원리를 상상하게 되고, 그 이질적인 것을 낳은 동일한 모태를 상상하게 된다. 즉, 태극 문양에서는 그 어느 것도 배타성에 의해 배제되지 않는다. 그러나 붉은 빛의 해를 상징하는 일장기의 경우에는 해(밝음·빛)와 대립되는 달, 어둠 등은 추방되어 있다. 따라서 두 항을 설정해 놓은 태극 문양이 오히려 일원론적인 세계관을 보여주고 일장기의 문양은 이원론이 극단화된(이질적인 항목이 제거된) 독단론의 세계관을 보여준다. 이러한 예에서 우리는 중요한 사실 한 가지를 지적할 수 있다. 즉, 흔히 생각하듯이 이원론이 다원주의의 길을 열어 놓는 것이 아니라 일원론이 다원주의의 길을 열어 놓는다는 것이다.

앞서 지적했듯이 이원론적인 세계관을 지탱하고 있는 것은 대립과 배제의 원칙이다. 따라서 이원론적인 세계관은 현상적으로 대립되는 것의 뿌리와 존재를 동시에 부정한다. 그리고 그러한 이원론이 강화되면 이윽고 극단적인 독단론에 이르게 된다. 그 경우 다양한 것들 간의 공존이라는 다원주의의 길은 자연스레 차단된다.

그러나 일원론적인 세계관은 그 정반대이다. 일원론은 다양한 현상들 내부에서 그것들을 잉태한 최초의 원인을 염두에 두고 그 모태는 동일하다는 사고의 결과이다. 따라서 현상적으로 다양한 것들, 달라 보이는 것들이 그 겉보기와는 달리 동일한 핏줄에서 나왔으며 공유하는 요소가 들어있다는 생각으로 자연스레 이어진다. 그러니 일원론은 다양한 것들 간의 조화와 균형을 중시하는 다원주의와 자연스레 이어지며 다원주의의 반대말은 일원론이 아니라 오히려 이원론인 것이다.

우리는 일원론적 세계관이 다원주의적 사고를 낳는다는 생각을 크게 강조해야만 한다. 우리는 현대의 사회를 다원화된 사회라고 일반적으로 정의내리는 데 익숙해 있다. 그러나 진정한 의미에서의 다원주의란 이질적인 존재들이 그냥 다양하게 존재하는 것을 뜻하는 것이 아니다. 진정한 의미에서의 다원적 인식이란 다양한 것들 사이에서 동일한 모태를 보고 그것들을 낳게 한 근본 원리를 찾는 인식이다. 따라서 다원적인 인식에서는 모든 차이나는 것들 간의 유기적 관계가 중요시되며 다른 것들 사이에서 배타적인 차별성을 찾아내는 것이 아니라 그것들 간의 차이에 주목하고 그것들의 화해와 공존을 모색한다.

근본적 동인이나 모태에 대한 인식이 없이 다양한 것들의 존재 자체만을 주목하게 되면 오히려 세계와 세계에 대한 인식은 파편화될 우려가 있다. 그러한 오해에 입각해 있으면 세상이 다원화되었다는 것의 의미를 그냥 세상이 잡다하게 복잡해졌다는 뜻으로 읽을 수 있다. 그러나 바른 의미에서 다원화된 사회란 이질적인 것들의 균형과 조화를 중시하는 내적인 일체감을 지닌 사회를 말한다. 세상은 단 하나의 유일한 원칙이 지배하지 않는다는 의미에서 복합화되었지만, 이질적인 복합성 사이에는 적대적인 관계가 성립되거나 파편적인 이질성으로 존재하는 것이 아니라 유기적으로 맺어진 관계를 유지한다.

이제 우리는 이렇게 정리하기로 하자. 우리가 일원론, 이원론이라고 했을 때의 원(元)의 개념을 원천, 뿌리라는 뜻으로 이해해야 하며, 현상적 모양이 달라도 뿌리는 동일하다는 사고가 일원론이고 그 모양이 다르면 그 뿌리도 다르다고 주장하고 그 뿌리 자체에 차등을 두는 사고가 바로 이원론인 것이다.

지나는 김에 한 가지만 더 지적하기로 하자. 엄밀한 의미에서의 일원론적인 태도는 기본적으로 다양한 인식의 공존 가능성을 인정한다는 의미에서 이원론적인 태도와도 대립되는 것이 아니라 그것을 감싼다는 사실이다. 일원론적인 태도는 세계를 선·악, 참·거짓의 둘로 나누는 태도와는 결별하지만, 세계를 이원론적으로 보는 태도 역시 인간이 이 세계에 대하여 지닐 수 있는 태도요, 인식들 중의 하나로서 감싼다. 따라서 상대성을 인정하는 입장에서 절대성조차 하나의 상대성으로 받아들이는 태도가 일원론적 태도라고 말할 수 있다.

서구의 공식적이고 주된 인식론이 이원론적이라는 것은 따라서 서구적 인식론에서는 절대 선, 절대 진리가 배타적으로 내세워져서 이질적인 대립항들이 상대적으로 억압받거나 평가절하되어 왔다는 것을 의미한다. 그리고 대립항이 등장할 때에도 그것은 언제나 한쪽의 절대성을 강화하기 위해서이지 그 자체 존재 이유를 부여받아서는 아니다. 예컨대 신학에서 악마의 존재는 신의 존재를 더욱 정당화하기 위하여 동원되었고, 어둠은 빛을 더욱 빛나게 하기 위하여 동원될 뿐(영화 「드라큘라」를 상기하라)이었던 것이다. 달리 표현한다면 서구가 이원론적인 인식의 사회라는 것은 그들이 유달리 선호하는 단 하나의 가치가 있었다는 것을 의미하며, 그러한 가치는 로고스라는 한 단어로 집약된다. 이제부터 그 로고스 중심주의에 대하여 살펴보기로 하자.

로고스 중심주의

로고스(logos)라는 개념은 파토스(pathos, 감동적 표현, 애수, 페이소스) 혹은 무토스(muthos, 신화)와 대립되는 개념이다. 즉, 파토스나 무토스와는 달리 정서, 감정에 호소하지 않고 논쟁을 통해 검증해 낼 수 있는 것을 의미하기도 하고, 우리의 인식 활동 중에서 그러한 검증 작업을 해내는 인식을 뜻하기도 한다. 여러 철학자들이 제각기 다양하게 로고스라는 단어를 정의했고 가장 좁은 의미로는 이성을 뜻하는 것으로 흔히 간주해 왔지만 정서 및 감정과 대립된다는 인식이라는 커다란 특징은 언제나 유지되어 왔다고 볼 수 있다.

하지만 로고스의 본래적 의미가 가장 확실하게 드러나는 것은 그 어원에서이다. 어원적으로 볼 때 로고스는 본래 고전

그리스어의 동사인 legein의 명사형이다. 그리고 legein의 뜻은 '모으다, 수확하다, 선택하다, 계산하다, 말하다' 등으로 다양하다. 하지만 그 중 가장 대표적인 뜻은 '말하다'이다. 따라서 우리는 로고스를 그 어원상으로는 '말씀' '말한 것'으로 바꾸어 이해할 수 있을 것이다. 즉, '로고스 중심주의'를 우리는 '말씀 중심주의'라고 이해하면 될 것이다. 기독교의 구약에서 볼 수 있는 '태초에 말씀이 있었다'라는 표현은 그러한 말씀 중심주의를 대표적으로 보여준다고 할 수 있다.

그렇다면 말씀 중심주의가 뜻하는 것은 무엇인가? 말씀 중심주의가 무엇이기에 우리는 서구의 인식의 뿌리에서 그러한 표현을 발견하게 되는 것일까?

청각 이미지와 시각 이미지

다시 한번 묻기로 하자. 말을 중시한다는 것은 무슨 뜻인가? 그러나 그 전에 먼저 묻기로 하자. 도대체 '말'이란 무엇인가? 말은 우리가 지각한 것을 표현해내는 여러 수단 중의 하나이다. 우리는 그림을 통하여 그 무언가를 표현할 수도 있고 몸짓을 통하여 표현할 수도 있으며 음악을 통하여 표현할 수도 있다. 우리는 우리의 오감을 통하여 지각한 것을 그 어떤 방식으로든 재현하여 표현한다. 그 중 말은 우리가 지각한 것을 언어를 통하여 표현한 것이다. 그러므로 말을 중시한다는 것은 우리의 여러 표현 수단, 즉 음악, 회화, 몸짓들 중에서 언어적인 표현이 우선한다는 것을 의미한다.

그렇다면 어떤 감각 기관을 통하여 지각한 것을 말로 표현하는 것일까? 우리는 우리의 눈, 즉 우리의 시각을 통하여 지각한 것을 재현해낼 때는 시각적인 이미지로 표현하는 것이 일반적이다. 반면에 우리의 귀, 즉 청각을 통해 지각한 것을 재현할 때는 언어적인 표현 수단에 의존하는 것이 일반적이다. 우리의 대표적인 표현 방식을 시각 이미지와 청각 이미지로 나눌 때 말은 언어적 이미지, 즉 청각 이미지에 속한다고 볼 수 있는 것이다. 그래서 우리는 말씀 중심주의는 청각 이미지 중심주의라고 말할 수 있다. 따라서 말씀 중심주의가 무엇인가를 알아보기 위해서는 시각 이미지와 청각 이미지의 차이점을 살펴보는 것으로부터 출발하는 것이 효과적일 수 있다.

다시 말하기로 하자. 시각 이미지가 회화적 표현으로 나타난다면 청각 이미지는 언어나 음악으로 표현되기 쉽다. 우리는 회화적 표현을 염두에 두고 우선 시각 이미지의 특징을 살펴보기로 하자. 우선 시각은 대상에 대한 그 어떤 지식이나 명칭과는 상관없이 우리에게 대상 그 자체를 직접적으로 경험하게 한다. 언어적 이미지가 (비유나 상징을 사용하여 우리로 하여금 그 이미지를 구체적으로 느끼게 하는 경우라도) 우리를 대상과 일정한 거리를 유지하게 만드는 데 반해 시각은 우리의 직관과 긴밀하게 연결되어 있어 그 어떤 대상이 공간 속에 현존하는 모습, 그 어떤 존재가 이 세상에 최초로 드러내는 모습을 직접 목격할 수 있게 하며 일정한 학습과 수련을 필요로 하는 언어적 이미지와는 달리 우리의 직관, 정서에 직접 작용한다. 따라서 시각 이미지는 추상적이거나 디지털적인 표현과는 달리 이 세계라는 존재(형태, 색 등)를 한꺼번에 일목요연하게 드러내어, 담론이나 기호가 지니는 선조성(linéarité)과 시간성(temporalité)의 한계를 지니지 않는다. 즉, 담론이나 기호는 그 표현의 대상이나 의미가 일시에 주어지는 것이 아니라, 시간의 진행과 선적인 방향을 따라 점차적으로 주어지는 데 반해 시각적 이미지는 그것이 전하고자 하는 의미를 공시적으로 단번에 전한다.

또한 바라보는 주체, 그 무언가를 회화적으로 재현하는 주체는 감각하거나 지각한 것을 일정한 언어적 코드 없이 전달하고 표현한다는 의미에서 듣는 주체, 말하고 쓰는 주체보다 원초적이다. 우리는 언어를 배우지 않고는 대상을 언어적으로 표현할 수 없지만, 즉 언어적 표현은 일정한 학습 기간을 필요로 하지만 (아이가 말과 글을 배우고 그것을 제대로 구사하는 데는 일정한 학습 기간을 필요로 하지만 운동 감각만 제대로 익혀 활동이 가능해지면 학습과 상관없이 자신이 표현하고자 하는 것을 시각적으로 표현해낼 수 있다) 시각적 표현은 그러한 학습 과정을 필요로 하지 않는다. 언어는 각 문화권에 따라 각기 다르지만, 즉 특수한 코드화의 길을 걷지만 회화적 이미지는 문화의 차이점 너머에서 유사성을 더 많이 드러낼 수 있다는 점에서도 시각적인 표현이 언어적 표현보다 원초적임을 발견할 수 있을 것이다. 우리가 잘 알고 있는 프로이트(Freud)의 정신분석의 원칙은 바로 그러한 시각적 이미지의 원초성에 근거하고 있다. 우리 꿈속의 사고는 시각적 이미지로 이루어진다. 그리고 그러한 시각적 이미지들은 언어적 이미지보다 원초적인 표현이기에 인간의 근원적 욕망에 보다 가까이 접근해 있다. 프로이트는 바로 그러한 점에 착안하여 인간의 정신기제는 욕망을 시각적인 경험으로 표현한 이미지들로 구조화되어 있다고 말한 것이다.

요약하자면 시각 이미지는 직접적이고 포괄적이며 원초적이라고 할 수 있다.

그와는 반대로 청각적, 언어적 표현은 그 표현하고자 하는 대상을 추상적 기호로 대체함으로써, 언어적 표현이 지시하는 대상과 그 표현을 인식하는 주체 사이에 단절을 가져온다. 즉, 언어적 표현은 시각적 표현에 비하여 간접적이다. 지각한 것을 언어로 표현하자면 우선 그 언어라는 코드를 매개로 해야만 한다. 따라서 언어를 통한 표현, 즉 언어적 이미지는 시각적 표현에 비하여 지각한 것, 감각한 것과 어느 정도 거리를 두고 있다.

언어가 표현하고자 하는 의미나 대상과 거리를 두고 있다는 것은 달리 말하자면 표현 자체의 자율성이 한층 강화된 것으로 이해할 수 있다. 즉, 언어적 표현은 그 대상이 가하는 제약으로부터 어느 정도 자유로울 수 있다. 예를 들면 물이라고 하는 하나의 지시 대상을 표현한다고 하자. 그 대상을 시각적으로 표현하는 경우 그 표현은 물이라고 하는 대상이 지닌 물질적 특성에 의해 어느 정도 제약을 받을 수밖에 없다. 하지만 그것을 언어적으로 표현하는 경우 사정은 전혀 달라진다. 그 대상을 우리말의 경우처럼 '물'이라고 표현할 수도 있지만 영어의 경우처럼 'water'로 표현할 수도 있고 불어처럼 'l'eau'라고 표현할 수도 있다. 단지 약속된 코드에 의해서 그러한 표현이 그러한 의미를 지니게끔 체계성만 지니고 있으면 된다.

따라서 하나의 대상에 대해서 그것을 언어로 표현하는 경우 그 표현 방법은 거의 무한하다고 볼 수 있으며, 심한 경우 언어적 표현은 나타내고자 하는 대상이나 의미와는 아무런 상관없이 이루어질 수도 있다고 할 수 있다. 구조주의 언어학자인 소쉬르(Saussure)가 말한 바 있는 기호의 자의성이란 바로 그것을 말한다.

그러한 특징 외에 또 하나 지적할 수 있는 것은 시각에 의한 아날로그적 표현들은 물리적인 제약(빛의 유무와 그 강도 또는 우리의 시각이 갖고 있는 제약성 등등)을 가질 수밖에 없는데 반해서 청각 이미지는 이러한 물리적인 환경으로부터 비교적 자유롭다는 것이다. 즉, 우리의 시야는 제약되어 있는데 반해서 우리는 우리가 보지 못하는 것을 들을 수도 있는 것이다.

요약하자면 청각적 이미지나 언어적 이미지는 시각적 이미지에 비해서 간접적이고 문화적이며 새로운 표현 방법, 즉 기호를 거의 무한적으로 만들어 낼 수 있으며, 그 기호의 코드에 의해 새로운 의미를 만들어 낼 가능성도 많다고 볼 수 있다.

서구가 로고스 중심주의 문화라는 것은 청각 혹은 언어적 이미지가 지니고 있는 특성들을 인간이 표출해낼 수 있는 온갖 표현 양식 중에 가장 우월한 것으로 간주하고, 고이 간직하고 가꾸어 온 문화라는 뜻이다. 즉, 언어적 이미지가 지닌 특성들을 한층 강조하고 발전시켜 온 문화라고 이해할 수 있다.

그렇다면, 그러한 경향은 서구의 문화에서 어떠한 변주를 거치면서 굳건히 유지되어 왔을까? 그러나 이 의문에 답하기에 앞서 그러한 변주의 바탕에 있는 근본 동인을 다시 한번 확인한다는 의미에서 우리가 진행하는 논조 시각적 이미지를 중시하는 문화가 나갈 방향과 청각이나 언어적 이미지를 중시하는 문화가 지향하는 방향의 차이에 대하여 종교적 측면에 국한하여 아주 개략적으로 살펴보기로 하자. 서구 문화 자체는 보편적인 문화가 아니라 지구상에 존재해 왔고 또 존재하고 있는 다양한 문화 중의 하나인 것이며, 그러한 서구 문화의 정체성을 알아보기 위해서는 서구와는 전혀 다른 길을 걸었던 문화와 비교해보는 것이 효과적일 것이기 때문이다.

시각 이미지 중심의 문화와 청각 이미지 중심의 문화 비교 : 종교를 중심으로

하나의 문화가 청각적 이미지를 중시하느냐 아니면 시각적 이미지를 중시하느냐에 따라 그 문화가 낳는 종교, 이데올로기, 철학, 도덕은 완전히 판이한 것이 된다. 앞서 말했듯이 여기서는 종교의 측면만을 간략하게 살펴보기로 한다. 가장 단순하게 말한다면 청각 이미지를 중시하는 문화는 유일신 사상

(monothérsme)에 입각한 이원론적인 종교의 문화가 되기 쉬우며, 시각 이미지를 중시하는 문화는 일종의 다신교 또는 범신론적인 종교의 문화가 되기 쉬운 경향이 있다. 우리는 유일신 사상에 입각한 이원론적 종교의 대표적인 예로 기독교의 모태인 유대교를 들 수 있을 것이다. 그리고 유대교에서 청각 이미지가 중시되며 신성한 존재에 대한 시각적 표현이 금기시되어 있는 것을 잘 알고 있다(태초에 말씀이 있었다. 우상을 만들어 섬기지 마라 등). 왜 그런 현상이 벌어지는 것인가는 우리가 앞서 살펴본 청각 이미지와 시각 이미지의 차이점을 생각해 보면 쉽게 알 수 있다.

유대교적 유일신 사상은 보이지 않는 절대적인 존재에 대한 확고한 믿음을 토대로 하고 있다. 그 존재는 우리의 감각 너머에 절대적으로 그리고 편재(遍在)적으로 존재한다. 그 존재는 물리적 제약을 받는 우리의 시각에 포착될 수 없는 존재이다. 우리가 우리의 시각으로 감지한 존재는 우리 시각의 한계 내에서 포착된 존재인 만큼 이미 그 절대성이 훼손된 존재이다. 절대적인 존재는 우리의 시각에 모습을 드러내지 않고 보이지 않는 곳에서 목소리만 전할 뿐이다. 우리의 시각은 그 절대의 부분만을 감지할 수 있을 뿐이다. 시각에 의해 절대자의 모습을 보는 행위는 절대적인 대상의 절대성을 훼손하는 것과 같다. 그래서 우리는 신의 모습을 볼 수 없고 보이지 않는 곳에서 들려 온 신의 말씀만 들을 수 있을 뿐이다. 애초에 들려온 우리 감각은 절대 진리로서의 말씀이며 그것만이 진실이 된다.

따라서 당연한 결과로 그 보이지 않는 절대 진리를 시각적 이미지로 표현하는 것도 금기시된다. 왜냐하면 시각적 이미지라는 것은 제아무리 정교하게 만들어지더라도 대상을 부분적으로 재현해낼 수밖에 없기 때문이며, 다음으로 그 대상을 재현해내는 주체에 따라 재현 대상을 각기 다르게 표현할 가능성이 크기 때문이다. 즉, 인간이 시각적으로 재현해낸 것은 인간과 무관하게 존재하는 절대적 존재가 아니라 인간이 절대적 존재라고 그려낸 자의적 존재가 된다. 그리고 그것은 절대자를 왜곡한 모습일 뿐이다. 즉, 그러한 존재는 인간이 제 멋대로 만들어 놓은 절대자의 모습일 뿐이며 따라서 잘못된 우상일 뿐이다. 절대자는 그러한 우상 너머에 존재한다. 그래서 '우상을 섬기지 말라'는 기독교의 저 유명한 교리가 탄생한다. 시각적으로 절대자를 재현하는 것은 절대 진리에 인간의 숨결을 섞는 왜곡 행위라서 금기시되는 것이다.

그러니 우상을 섬기지 말라는 계율은 나 이외의 다른 신을 섬기지 말라는 뜻으로도 해석할 수 있지만(절대자는 하나이니까) 인간이 감각적으로 포착하고 표현한 것을 절대자 그 자체로 혼동하고 섬기지 말라는 뜻의 계율로 해석하는 것도 가능하다. 그러한 우상은 이미 절대자의 절대성이 훼손된 존재이기 때문이다. 그 계율은 절대자의 객관적 존재에 대한 믿음이 낳은 계율이다.

따라서 시각적 이미지를 중시하는 문화가 다신교 혹은 범신론적인 경향을 띠게 될 것이라고 말할 수 있으며, 그 이유도 쉽게 이해할 수 있다. 즉, 시각적 이미지를 중시하는 문화는 관념적이거나 추상적인 절대성보다는 구체성을 중시하는 문화이다. 그러한 경향이 종교에서는 어떻게 나타날 수 있는가?

우선 절대적 가치의 관념성이 약화된다. 절대적 존재는 현상이나 구체적 표현 너머에 추상적으로 존재하는 것이 아니라 언제나 구체적인 현상 속에 현현한다. 구체적인 현실 자체가 곧바로 초월성 자체는 아니지만 그러한 초월성 혹은 초월자의 의지는 구체성 너머에 말 그대로 초월적으로 존재하는 것이 아니라 구체성 안에 내재해 있다. 그러한 관점을 따르게 되면 인간이 그려낸 절대자의 이미지 그 자체는 절대자는 아니지만 그 안에 절대자의 흔적을 감추고 있는 이미지가 된다. 그것을 우주 삼라만상에 확대하면 우주의 자연 자체는 모두 우리를 초월자에게로 안내할 수 있는 매개자가 된다. 그렇게 되면 이 우주에 존재하는 것 치고 우리가 섬기지 못할 것이 없으며, 우리가 신의 모습을 그려내는 것이 금기시 될 필요도 없다. 따라서 범신론적인 종교는 시각 이미지의 종교가 되고 아이콘의 종교가 된다. 유일신 사상에 의해 우상으로 간주되었던 이미지는 다신교에서는 우리의 인식을 초월적 가치로 이끄는 안내자인 아이콘이 되는 것이다.

우리는 서구의 기독교 문화가 왜 시각 이미지를 억압하는 문화이며, 왜 로고스 중심주의가 될 수밖에 없는가의 윤곽을 그려본 셈이다. 이제 그러한 로고스 중심주의가 서구에서 어떤 식으로 변모하게 되는지 그 개략적인 모습을 살펴본 후에 성상 파괴주의의 여러 양상들을 구체적으로 살펴보기로 하자.

서구의 로고스 중심주의의 흐름 및 특징

물론 우리가 주의해야 할 점이 있긴 하다. 우리가 편의상 이미지 전체를 시각 이미지와 청각 이미지로 대별하고 각각의 경향을 선호하는 문화의 차이에 대해서 말했지만 그 대립이 그렇게 절대적이지는 않다는 사실이다. 시각 이미지와 청각 이미지의 구조 및 기능은 긴장 관계에 놓여 있으며, 더 나아가 대립적이기도 하다. 하지만 인간의 삶과 인식과 문화는 대립적인 요소들 간의 균형과 화합으로 이루어져 있고, 하나의 요소만으로도 단차원적이지 않다. 우리가 서구 문화를 청각(문자) 이미지 위주라고 말할 때는 청각 이미지를 중심으로 한 이원성(dualité)이 우위에 있다는 뜻이지 시각 이미지적 인식이 완전하게 배제되어 있다는 뜻은 아니다.

사실 우리는 청각 이미지, 즉 언어 이미지 자체도 그 표현의 측면에서 보건, 소통의 측면에서 보건 벌써 이중적이라는 사실을 알고 있다. 문자는 소리를 시각적인 기호로 표시한 것이라는 의미에서 이미 시각 이미지와 청각 이미지의 결합이며, 언어가 소통되려면 구전의 경우 입과 귀라는 상이한 감각기관의 도움이 필요하며 문자적 표현도 문자를 쓰는 손과 문자를 읽는 눈의 결합으로 이루어지며, 당연히 그 문자는 읽는 자의 시각적 수용을 필요로 한다. 즉, 시각의 고유 논리인 유추적 논리(logique analogique)와는 무관하게 형성된 언어를 사용하기 위해서는 여러 감각 기관의 도움이 필요하며, 특히 시각과 긴밀하게 결합되는 것이다.

또한 문자 자체도 알파벳 식의 표음 문자(소리·청각 위주)만 존재하는 것이 아니라 한자, 이집트 상형 문자(시각적 상형성 위주)도 존재하여 언어활동 자체를 모두 청각적이라고 규정하기 힘든 것이 사실이다.

한편 종교와 예술사를 살펴보더라도 시각적 이미지와 언어적 이미지가 자주 결합되어 왔음을 알 수 있다. 문자가 없는 사회에서는 그들의 신앙이나 제의(祭儀)를 상징적인 서사기호(書寫記號, signe graphique, 시각 이미지)나 구전으로 소통되는 신화적 이야기(청각 이미지)를 동시에 이용하여 객관화·제도화한다. 또한 서구 기독교 사회도 기본적으로는 성서에 기초하여 그 믿음을 유지시켜온 것이 사실이지만 그와 동시에 성화(聖畵)로 신앙을 강화하는 전통이 꾸준히 유지되어 왔다.

그리고 서구 예술사, 특히 회화(繪畵)사와 시사(詩史)에서는 시각적인 것과 언어적인 것의 결합이 두드러진다. "시는 회화와 비슷하다"는 호라티우스(Horace)의 발언은 여러 시대에 걸쳐 호응을 얻고 실현된 바 있으니 19세기의 상징주의와 초현실주의 시인이나 화가들은 언어적인 것과 회화적인 요소를 즐겨 결합했으며, 아폴리네르(G. Apollinaire)의 상형시(Calligramme) 같은 것이 대표적인 예이다. 또한 동양의 서예(Calligraphie)는 시각적인 것과 언어적인 것이 결합되어 하나의 상징적 이미지를 형성하는 대표적인 경우라 할 수 있으며, 만화의 경우도 그러한 예에 속한다고 볼 수 있다.

성상 파괴주의를 서구의 풍토병이라고 하면서 동시에 서구 내에서 성상 옹호주의의 흐름을 살펴보는 것도 바로 그러한 이유에서이다. 서구를 특징짓는 주요한 기질은 물론 이원론에 입각한 로고스 중심주의이지만, 그것은 서구 인식의 주류가 그렇다는 것이지 서구의 인식 전체가 그것만으로 이루어져 있다는 뜻은 아닌 것이다. 그 사실을 염두에 둔 채 다시 본론으로 들어가기로 하자.

서구의 로고스 중심주의의 출발선에는 "태초에 말씀이 있었다"라는 기독교 교리가 자리하고 있음을 지적한 바 있다. 그리고 그때의 말씀이라는 것은 유일신의 절대성을 보장해주는 청각 이미지라는 것을 아울러 지적했다. 태초에 종교적인 로고스 중심주의가 있었던 것이다. 그렇기에 우리는 기독교 내부에서 존재했던 성상 파괴주의를 살펴봄으로써 서구의 성상 파괴주의에 대한 검토를 시작할 것이다.

종교적인 로고스 중심주의에서 작용하고 있는 원리는 수직적 이원론이다. 즉, 절대적인 진리, 초월적인 가치, 성스러운 가치와 가시적인 세계, 이 세상의 속세적 가치 사이에는 엄격한 단절이 존재하게 된다. 초월자이면서 이 세계의 창조주인 하느님은 하나의 절대적 진리, 객관적 진리로서 현상계 너머에 존재하는 것이다. 서구의 기독교사에서 부침(浮沈)과 우여

곡절이 있긴 했지만, 우리가 다음에 살펴보게 될 서구의 성상 파괴주의의 근간에는 바로 이런 절대 진리를 중심으로 하는 이원론이 자리잡고 있다. 그리고 그 중심에 창조주인 하느님이 있기에 인간적인(현상적·가시적·운명적인) 특징들은 대개 그 절대 진리의 훼손으로 간주된다. 에덴 동산의 설화에서 그 무엇을 본다는 것(안다는 것)이 하나의 원죄로 설정되는 것은 그 때문이다. 그 무언가를 보고 안다는 것은 인간이 절대자의 권위에 속해 있는 기능을 획득한다는 것을 의미할 수도 있지만, 달리 보면 절대적인 가치와 인간적인 숨결이 결합되는 것을 뜻하며 그것은 절대적 가치의 추락을 의미하게 된다. 서구의 상상계에서 인간의 탄생이 자주 추락의 이미지로 나타나게 되는 것은 그 때문이다.

그러나 그러한 기독교적인 성상 파괴주의는 그 이원론적인 성격은 그대로 유지한 채 진리의 의미가 바뀌면서 그 흐름이 사뭇 달라진다. 줄여서 말한다면 신의 초월적인 진리의 자리를 이성적인 진리가 차지하게 되면서 로고스 중심주의의 의미 및 성상 파괴주의의 의미가 달라지는 것이다.

즉, 로고스에서 비가시적인 진리의 의미가 사라지고, 가시적인 세계를 지칭하는 말·논리·이성을 뜻하게 되면서 성상 파괴주의 자체가 다른 길을 걷게 되는 것이다. 뒤에 다시 이야기할 기회가 있겠지만 사실은 기독교적인 이원론 자체가 그 이원론적인 속성으로 인해 초월적인 가치를 이 세계와 인간의 인식능력 밖으로 몰아낼 소지가 있다고 볼 수 있다. 절대자의 절대성이 한껏 강화되면서, 절대자는 인간의 인식 밖으로 자리잡게 되고(주여 어디로 가시나이까?라는 애타는 질문이나 낮은 데로 임하소서 하는 기원은 절대자가 너무 높은 곳에 멀리 존재한다는 탄식이 아니겠는가?) 종국에는 인간에게는 절대를 인식할 수 있는 능력이 애당초 결여되어 있다는 생각이 자리잡을 수 있게 되는 것이며, 그렇게 신을 멀리 보낸 자리에서 믿어야 할 것은 가시적인 세계뿐이라고 생각할 수도 있다. 그리고 이어서 인간의 이성에 대한 신뢰가 절대자에 대한 신뢰의 자리를 대신하게 된다. 인간이 최선을 다해서 발휘해야 하는 것은 이성의 힘뿐이라는 생각에서 이성에 대한 신뢰가 극대화되면 이성 중심주의로서의 로고스 중심주의가 나타나는 것이다.

그때 '인간은 말을 하므로 로고스를 가진 동물이다'라는 정의가 이성적으로 추론할 수 있는 진리, 검증할 수 있는 진리를 옹호하는 방향으로 향하면서 합리주의·경험주의·실증주의 등의 사상이 나타나는 것이다. 초월적인 가치를 절대로 하는 기독교적인 전통과 초월적인 가치가 사라진 자리에서 나타난 이성 중심의 사상들은 표면적으로는 극단적으로 대립되어 보이지만 그것들은 성상 파괴주의와 로고스 중심주의라는 공통 분모에 의해 서구적 상상계의 주요한 풍토로 자리잡고 서로 연결이 된다.

다시 요약하자면 절대 진리가 인간이 밝혀내고 검증할 수 있는 객관적 진리로 대체되면서 절대 진리의 이름 하에서는 금기시되었던 인간적인 능력이 그 권능을 회복한다. 그리고 그러한 로고스(이성)는 문명의 발전, 인식의 발전, 역사의 발전 개념과 합류하여 그에 대립되는 파토스, 야만적 사고, 모호한 사고, 상징적 사유, 요컨대 이미지적 사유 전체를 억압하고 그것들을 하위 개념으로 설정한다. 대문자 진리(Vérité)가 소문자 진리(vérité)로 바뀌면서 이루어진 그러한 변모는, 그러나 로고스가 여전히 유일한 진리로 옹호되고 진리·거짓이라는 이원론적인 인식을 유지하고 있다는 의미에서는 큰 변화가 없다. 중요한 것은 여전히 유일한 진리인 것이다. 미인 경연 대회에서 왜 순서가 진·선·미로 되어 있을까? 가장 아름다운 미인에게 왜 아름답다(美)는 호칭을 붙이지 않고 참되다(眞)의 호칭을 붙이는 것일까? 거기서 착하고, 아름다운 것도 절대 진리 앞에서는 상대적인 가치일 뿐이라는 로고스 중심주의의 흔적을 볼 수 있다면 지나친 억측일까?

비가시적인 세계에 존재하는 초월적 진리건, 과학적 검증이 가능한 경험적·실증적 진리건 그렇게 유일한 진리를 상정하고 모든 명제를 참이냐, 거짓이냐의 형식적 논쟁으로 환원시키는 인식론 내에서 언제나 모호하고, 근사한 표현일 뿐인 이미지, 특히 상징적 이미지는 평가절하되고 억압받을 수밖에 없다. 우리가 이제부터 살펴보고자 하는 것이 바로 그러한 서구적 인식론 내에서 이미지가 겪게 될 운명이다. 그 상징적 의미를 상실하고 하나의 장식으로 격하되고, 이어서는 정신에 대한 범죄로 파문까지 당하는 이미지와 상상력의 역사를 구체적으로 살펴보기로 한다.

기독교사(史) 내부에서의 성상 파괴주의

근원적 성상 파괴주의

우리는 '태초에 말씀이 있었다'는 구약의 표현을 빌어와 기독교적 유일신 사상이 이미 성상 파괴주의적이고, 우상 파괴적 요소를 기본적으로 지니고 있다고 지적한 바 있다. 인류학적인 관점에서 볼 때 유일신 사상은 앞서 우리가 살펴본 독단론과 동일한 인식론 상에 서있다고 볼 수 있다. 참된 절대적 초월자 외에 다른 모습들은 악마거나 우상(거짓)일 수밖에 없다. 따라서 신의 대리자로서 그 어떤 형상도 꾸며내서는 안 된다는 절대적 금기는 모세의 제2계율에 분명히 설정되어 있다.

"너희는 내 앞에서 다른 신을 모시지 못한다. 너희는 위로 하늘에 있는 것이나 아래로 땅 위에 있는 것이나 땅 아래 물 속에 있는 어떤 것이든지 그 모양을 본떠 새긴 우상을 섬기지 못한다." (「출애굽기」 20장, 4-5절)

서구의 기독교는 이러한 유대교적 영향력 하에 놓여 있어 애당초 신의 형상(성상, 우상)을 인간의 힘으로 제조하는 일은 신의 절대성의 이름으로 탄압받을 소지가 충분히 있었다. 물론 기독교 역사 자체가 성상 파괴주의의 승리만을 보여준다고 단정하는 것은 무리이다. 다음에 살펴보겠지만 기독교 역사 내에서 성상 옹호주의의 흐름은 면면이 이어져 왔으며 어찌 보면 기독교 내에서는 성상 옹호주의가 성상 파괴주의에 대해서 승리를 거두었다고 볼 소지도 있기 때문이다.

하지만 지구상에 존재하는 다른 종교들, 특히 기독교에 의해서 원시적·야만적이라고 여겨지는 종교 형태들과 비교할 때 기독교가 하느님의 상(像)이나 성인들의 상보다는 말씀이나 성서의 기록 자체를 중시해온 종교라는 것은 부인하기 힘들다. 그리고 기독교 내부에서 있었던 성상 파괴자들과 성상 숭배자들 간의 싸움은, 어떤 면에서는 서구에서 수세기에 걸쳐 이미지와 이미지의 옹호자들을 평가 절하하고 나아가 박해하게 된 이유와 동기를 모범적으로 보여준다. 따라서 우리는 서구에서 왜 이미지와 상상력이 억압받고 홀대되어 왔는가 하는 문제를 근원적으로 이해하기 위해서는 이미지가 기독교 내에서 어떤 논리 하에 어떤 과정을 거쳐 탄압받았고, 그 존재 자체를 위협받게 되었는가를 조금 자세히 살펴볼 필요가 있다.

우선은 우리가 이미 살펴본 대로 근본적으로 인간이 만든 상을 초월적인 존재와 동일시해서 섬기는 것을 금지하는 것이다. 다시 반복하지만 그 금지의 논리적 근거는 이러하다.

우리가 하나의 이미지를 통해 초월적인 가치를 인식하려면 인간이 만든 유한한 형상과 초월자 사이에 하나의 유사한 관계가 맺어져 있어야 한다. 그리고 그러한 관계가 맺어지려면 그 유한한 형상 속에 무한한 초월자가 자리를 잡고 있어야 한다. 그러나 유한한 존재인 인간이 무한한 존재를 표현해낼 능력이 있을 수가 없다. 따라서 신을 품고 있는 이미지를 만든다는 것은 불가능하며, 그런 이미지는 존재할 수도 없다. 그리고 만일 하나의 이미지가 무한을 포함하고 있다 하더라도 우리는 유한한 시선으로 그것을 바라볼 수밖에 없으므로 그 이미지를 통해 신을 본다는 것은 불가능하다. 따라서 이미지를 섬기면서 신을 섬긴다고 하는 것은 기만일 수밖에 없다.

하지만 기독교의 역사를 살펴보면 성상에 대하여 비교적 관대한 태도를 보이는 경우도 얼마든지 발견할 수 있다. 기본적으로는 절대자의 절대성을 훼손하지 않은 채 성상에 대하여 관대한 태도를 보일 때 우리는 그것을 바로 성상 옹호주의의 승리라고 부를 수 있는 것일까? 그렇지 않다. 우리가 뒤에서 다시 살펴볼 기회가 있겠지만 진정한 의미에서의 성상 옹호주의란 하나의 성상, 즉 성스러운 이미지 자체에 성스러움의 내용이 깃들어 있다고 믿고 그것을 숭배하면서 그 앞에서 경건함을 느끼는 태도를 말한다. 이미지, 즉 성상을 용인하되 거기에서 성스러운 의미를 박탈한다면, 그 태도는 성상 옹호주의라고 보기 어렵고 근본적인 성상 파괴주의와는 다른 모습으로 나타난 성상 파괴주의라고 볼 수도 있다. 그 내용은 이러하다. 무한한 절대 존재에 대한 믿음을 간직한 채 성상에 대하여 관대한 경우를 이렇게 해석할 수 있다. 무한한 존재는 그 자체 표현이 불가능하므로, 우리가 성상을 보고 경건한 마음가짐을 갖더라도 중요한 것은 성상을 응시하면서 거기서 초월자를 느끼고 보는 것이 아니라, 성상의 안내를 받아 우리를 응시하는 또 다른 시선을 느끼는 것이다. 실제로 정통 교회에서는 성상에 대해 관대한 태도를 보이더라도 성상 이미지 자체에 실제로 신성스러운 것이 깃들어 있다고 찬양하는 것은 금지된다. 중요한 것은 그것을 통하여 찬양의 마음가짐을 준비하는 것이다. 따라서 이미지로서의 성화는 그 자체에 초월적 의미를 담고 있는 존재가 아니므로, 성화 숭배는 비가시적 진리에

십자가에 못박힌 예수와 그리스도 상을 지우고 있는 비잔틴 성상 파괴론자. 900년경. 비잔틴의 필사본 『흘루도브 시편』의 한 페이지. 모스크바 역사박물관.

대한 찬양으로 바뀌어야만 한다.

그러한 과정을 거치면서, 성상은 더 이상 그리스도의 형상을 복사한 것도 아니고, 플라톤적인 의미에서의 형태의 모방도 아닌 단순히 비어 있는 흔적 같은 것이 된다. 그래서 성상이 기독교에서 신앙을 전파하고 그것을 공고히 하기 위해 이용되는 경우에도 그것이 하나의 초월적 의미를 담고 있다고 간주되지 않으며, 그것을 통하여 초월자와 만날 수 있다고도 여겨지지 않는다. 그것은 그런 의미에서 일종의 성상 파괴주의라고 간주할 수 있는 것이다. 성상 파괴주의의 기본 의미를 초월적 내용을 담은 성상이라는 애당초 존재할 수가 없다는 뜻으로 이해한다면 말이다.

교권 강화에 의한 성상 파괴주의 : 초월적 가치 자체의 사라짐

물론 우리가 위에서 살펴본 내용은 성상 자체의 제작과 보존을 금하는 일차적인 성상 파괴주의와는 다른 면도 있다. 위의 태도는 성상의 제작과 보존에 대해서는 관용적인 면을 보일 수도 있는 것이다. 하지만 위의 태도는 기본적으로 감각적인 현실 속에 초월적인 존재를 하나의 이미지로 현존케 하는 것은 불가능하며, 초월적인 존재를 이미지화하여 섬기는 것은 필경 이교도적인 우상 숭배의 길로 떨어진다는 생각에 입각해 있어, 본격적인 성상 숭배와는 엄격히 구분되며 궁극적으로는 이미지의 존재 가치 자체를 지운다고 볼 수 있다. 성상의 존재는 허용할 수도 있지만 그것 자체를 섬기는 것은 금기시되는 것이다.

우리가 앞서 지적한 대로 그것은 수직적 이원론에 입각해 있는 종교적 인식으로서 초월적인 가치의 절대성의 이름으로 감각적이고, 가시적인 현실을 부정하는 태도라고 볼 수 있는 것이며, 절대적 초월의 이름으로 세속적일 수밖에 없는 이미지를 일종의 사이비로 간주하고 억압하는 결과를 낳는다.

그러나 서구의 기독교사에서는 절대의 이름으로 이미지의 제작을 탄압하거나, 성상 자체를 무의미한 텅 빈 존재로 만드는 성상 파괴주의만 존재했던 것이 아니다. 중세의 교권주의가 강화되면서 이번에는 절대적 초월의 이름으로 역설적이게도 초월적 인식 자체를 지우는 방향으로 성상 파괴주의가 행해지며, 그것이 어떤 의미에서는 본격적인 성상 파괴주의라고 볼 수 있다. 왜냐하면 이미지에 대한 가치절하가, 종교의 이름으로 초월성 자체를 부인하는 결과로 이어졌기 때문이며, 종국에는 종교 내부에서 일어난 그러한 변화가 서구 사회 전체의 세속화를 낳고 이른바 합리주의에 의한 성상 파괴의 길, 즉 인간에게서 초월에 대한 인식의 능력을 박탈하는 길을 예비했다고 볼 수 있기 때문이다.

교권주의라는 것을 한마디로 정의한다면 교회의 권위가 극대화되어 교회를 통해서만 초월자를 만날 수 있다는 원칙을 고수하는 주의라고 말할 수 있다. 바리새인의 형식주의건, 정통파 회교도건 혹은 로마 가톨릭 교회건, 종교적 율법주의는 항상 각각의 개인성 속에는 독립된 매개적 정신, 성령, 개인적인 주님이 있어 다른 어떠한 매개자 없이도 절대의 왕국에 도달할 수 있다는 생각을 근본적으로 부정한다. 교조주의와 교권주의는 교회의 교리를 지키거나 교회라는 제도를 통해야만 초월자를 만날 수 있다고 강요한다. 그러한 교조주의는 개인의 감수성과 개인적 교감을 통해 이룩되는 신의 현현 현상에 의해, 개인의 영혼이 열릴 수 있는 가능성을 거부하는 것을 뜻한다. 그리고 그것은 달리 말하면 초월성이 본래의 초월적 의미를 상실하고 교회라는 사회제도의 권위로 세속화되는 것을 의미한다.

그러한 교권주의가 성상 숭배를 배격하는 것은 당연하다. 성상 숭배가 의미하는 것은 성상의 응시를 통해(거기에는 신성이 깃들어 있으므로) 영혼이 열리고 개인적인 초월을 경험하는 것을 뜻한다. 따라서 교회를 통하여서만 하느님을 만날 수 있다는 교권주의는 교회 밖에서 개인적인 초월의 경험을 가능하게 하는 성상의 존재를 인정할 수 없다. 그리고 그러한 입장에서의 성상 파괴주의가 빚어내는 결과는 대단히 심각한 것이다. 그러한 성상 파괴주의는 초월적 가치 자체의 파괴로 이어질 수 있기 때문이다.

앞서 잠깐 이야기했듯이 교권의 강화는 오히려 종교적 가치의 세속화를 의미할 수도 있다. 중세의 강화된 교권주의는 교회의 힘을 절대화함으로써 오히려 절대적이고 초월적인 가치를 인간이 만든 사회 제도에 편입시키는 결과를 낳는다. 교회는 하나의 사회 제도에 불과할 수도 있기 때문이다. 그러한 제도 속에서 성직자들은 특권적인 권리를 누린다. 성직자들이 사회 제도 속에서 특권적인 권리를 누린다는 사실 자체가 이미 절대적 가치의 세속화를 의미하는 것이 아니겠는가? 그러나 더욱 심각한 것은 언제나 개인적일 수밖에 없는 초월의 경험을 교회에서만 가능한 경험으로 왜곡시키면서 초월적 가치 자체가 지워지고 사라진다는 것이다. 마틴 루터를 중심으로 한 종교개혁운동은 교회의 타락에 저항해서 일어난 운동이라기보다는 차라리 사라져가는 초월적 가치의 회복을 위한 운동이 아니었겠는가?

어찌 되었건 교권이 강화된 중세는 성상 자체의 용도가 변경되고(기껏해야 장식물 정도) 성상을 통해 초월까지 연장될 수 있다는 성상의 기본 의미 자체가 폐기되면서, 기독교 자체의 이름으로 초월적 가치의 세속화의 길을 열었다고 볼 수 있는 것이다.

초월적 인식의 배제로 인한 성상 파괴주의 : 개념주의, 합리주의, 경험주의, 실증주의

개념주의에 의한 불가지론

다시 말하지만 애초의 기독교 내의 성상 파괴주의는 초월적 가치의 절대성이 훼손될 수 있다는 우려에서, 초월적 가치를 형상화하여 표현하는 것을 금지한 데서 비롯된 것이었다면, 즉 초월적 가치의 절대성의 이름으로 이미지를 억압한 것이었다면 바로 앞에서 우리가 살펴본 교권주의는 그러한 초월적 가치 자체의 사라짐(그보다는 인간 내부의 초월적 인식 능력의 사라짐이라고 보는 것이 옳을 것이다)에 의해 이미지의 가치 절하가 이루어진 경우라고 볼 수 있을 것이다.

그런데 초월에 대한 인식이 인간에게서 사라지게 되는 그러한 현상은 초월적 가치의 절대성에 입각한 유일신적 이원론이 이미 어느 정도 예비해 놓은 것이다.

초월의 절대성에 대한 강조는 초월에 대한 인식, 초월에 다다를 가능성 자체를 초월적 자리에 위치시키고, 현상계의 가시적 존재인 인간은 그 초월적 가치에 대해 아무것도 인식할 수 없는 존재로 만들 가능성이 다분하다. 그것이 바로 인간은 인간에 대한 총체적 이해, 초월적 현상과 가치에 대한 이해는 불가능하다는 불가지론(agnosticisme)을 낳는다. 우리가 불가지론이라고 번역하는 agnosticisme이라는 단어는 문자 그대로 해석한다면 그노스(gnose)에 대한 부정적 인식을 보여준다고 할 수 있다. 우리가 gnocisme을 영지(靈知)주의라고 번역하듯이 그노스란 본래는 영적인 세계까지 포함한 인간과 우주에 대한 총체적 인식을 의미한다. 따라서 영지주의라는 것은 인간에게 비가시적인 영적인 세계를 인식할 능력이 있음을 인정하는 태도를 말한다. 인간은 그러한 총체적 인식을 통해 진정한 깨달음에 도달할 수 있다는 믿음을 갖고 있는 것이 영지주의이다. 불교식으로 번역할 때 해탈이나 각(覺)으로 그노스가 번역될 수도 있는 것은 그 때문이다.

불가지론이란 따라서 인간 내부에 들어 있는 초월을 인식할 수 있는 능력이 있음을 부정하는 것이다. 초월 세계가 존재할지 모르지만 인간은 그에 대해 아무것도 알 수 없다, 그 세계에서 벌어지는 일은 신의 몫이지 인간의 몫이 아니다, 인간은 인간에게 주어진 능력을 최대한 발휘하는 것이 최선이다,

라는 생각이 바로 불가지론의 기본 태도이다. 즉, 초월 세계 자체를 부정하는 것이 아니라 인간은 그러한 초월 세계나 비가시적 세계에 대하여 아무것도 알 수 없다는 것이 바로 불가지론인 것이다. 불가지론에 의하면 인간이 확인할 수 있는 것은 초월적 진리가 아니라 지상의 진리뿐이다.

「토마스 아퀴나스」, 베네초 고촐리, 템페라, 230x102cm, 루브르 미술관.

서구가 이러한 불가지론의 입구에 접어든 것은 13세기에 이르러서이다. 13세기에 서구는 고대 아리스토텔레스의 논리학을 공식 인식으로 채택하고 개념주의(conceptualisme)는 공식적인 교육학이 된다. 서구 기독교 사회가 13세기에 아리스토텔레스의 저술들을 발견하고 소개하면서 또한 그의 견해를 기독교뿐만 아니라 학교 교육의 준칙 중 하나로 받아들이게 되면서, 논리에 근거한 '명확성과 구별'이 하나의 대 원칙이 되고 '진리는 나의 빛(Veritas lus mea)'이라는 그리스 헬레니즘 문명의 모토가 바로 서구 교육과 인식의 바탕이 되는 것이다.

또한 토마스 아퀴나스(Thomas d'Aquin)[6)]를 중심으로 하는 스콜라 철학은, 저 유명한 『신학대전』을 통해서 아리스토텔레스의 합리주의와 신앙의 진실들을 하나로 연결시키려고 시도했다. 표면상으로는 로마 기독교의 공식 철학을 확립하고 통합하려는 시도였으나, 의미상으로는 그것은 인간 중심적이고 세속적인 근대 사상, 즉 성상의 초월적 의미 또한 초월적 인식이 배제된 사상을 낳는 운동의 기점이었던 것이다. 즉, 13세기를 기점으로 신학의 정당성이 이성과 결합함으로써 초월적인 인식과 가치가 절대성을 상실하고 그 자리를 인간의 이성이 대신하는 길이 열린다.

합리주의 : 이성의 승리

인간의 이성이 진실에 도달하는 또한 진실에의 길을 정당화해줄 수 있는 유일한 방법이며, 신학조차도 신의 초월성 자체보다 신의 이성을 중시하는 쪽으로 기울게 만든 그러한 인식이 하나의 확고한 논리성을 획득하는 것은 프랑스 합리주의 철학의 아버지라 일컬어지는 데카르트에 이르러서이다.

'나는 생각한다 고로 나는 존재한다(Je pense donc je suis)'라는 명제에서 이성은, 흔들리지 않는 '생각하는 자아'를 의미하며 그 명제에 의해 코기토(Cogito), 이성, 생각하는 자아만이 이 세상에 존재하는 유일한 진리이며 다른 모든 존재의 확실성을 보증해주는 것이 된다. 데카르트의 합리주의는 이성에 대해 전지전능한 신분증을 부여한다.

그러나 데카르트의 합리주의는 이성에 전지전능한 신분증을 부여하는 데서 그치지 않는다. 자신의 정당한 신분증을 마련한 이성은, 그 명증성으로 이 세계 전체에 대한 통합적 체계를 완성시켜야만 하며 데카르트가 이어서 행하는 작업은 바로 그러한 형이상학적 체계화의 작업이다. 그리하여 그 자체가 개별적이고 복합적인 듯이 보이는 세상에 하나의 체계를 부여하려는 노력을 계속하면서, 모든 철학을 나무에 비유하여 "그 뿌리는 형이상학이고, 줄기는 물리학이며, 그 줄기에서 뻗어난 가지들을 세 개의 주된 학문, 즉 의학·기계학·윤리학으로 귀착되는 모든 학문들"이라고 말한다. 즉, 지식은 각기 개별적으로 독립된 것이 아니라 하나의 체계 안에 통합되어 있으며 상호 긴밀히 연결되어 있다. 아리스토텔레스주의에 의거해 설립된 학문 체계는 데카르트의 합리주의에 의해 확고해진다.

한편, 인간의 이성에 의해 인간을 둘러싸고 있는 외부의 세계는 하나의 긴밀한 체계로 연결된다. 세계는 그 안의 모든 물체들이 특정한 법칙에 따라 움직이고 상호간에 작용하는 공간이 되는 것이며, 세계를 구성하는 물체들은 예외 없이 동일한 법칙에 순응하되, 상호간의 작용과 반작용으로 부단히 유동적인 하나의 총체를 이룬다. 다시 말하면 세계는 물리학적인 인과성(causalité)에 의해 움직이는 거대한 기계가 된다. 데카르트에 의해 세계는 오랫동안 드리웠던 신비의 그늘에서 빠져나와 이성의 밝은 태양 아래 알몸을 드러낸다. 데카르트에 의해 자연은 신비와 몽상의 대상이기를 멈추고 분석과 해체, 가공과 정복의 대상이 되는 것이다.

데카르트의 그러한 우주론, 세계관은 생각하는 자아로서의 인간의 정신을 우주의 중심에 놓고 진실과 거짓, 정신과 육체, 자아와 대상을 명백히 분리하는 이원론적 우주론이며 세계관이다. 그 이원론적인 세계관은 이성에 의해 확립된 단 하나의 유일한 방법이 존재한다는 배타적인 독점주의적 태도를 기본적으로 가지고 있으며, 그러한 배타적 독점주의가 이른바 진실을 추구한다는 학문의 온갖 영역을 휩쓸었다. 그 결과 이미지는 일종의 공상의 산물이 되어 설교자, 시인들, 화가들을 설득하는 기술 정도로 버림받게 되었을 뿐, 그 무언가를 증명해 줄 수 있는 권위 쪽으로는 결코 접근할 수가 없게 된다. 갈릴레이의 실험(기울어진 평면 위에서 '몸은 추락한다는 법칙'에 대한 증명을 상기하자)과 데카르트의 기하학 학설(분석적 기하학으로서, 모든 형상과 모든 운동, 따라서 모든 물리학의 대상에는 대수적 등식이 상응할 수 있다)이 물려준 정신세계는, 그 어떤 시적인 접근도 불허하는 철저한 역학의 세계이다. 갈릴레이와 데카르트의 역학은 하나의 연구 대상을, 유일한 인과성(因果性)이 지배하는 일차원적 작용 속에서 설명한다. 그것은 우리가 생각할 수 있는 이 우주 전체를 물리적으로 가해진 원인은 필연적인 결과를 낳는다는 당구공 충돌시의 인과론적인 역학

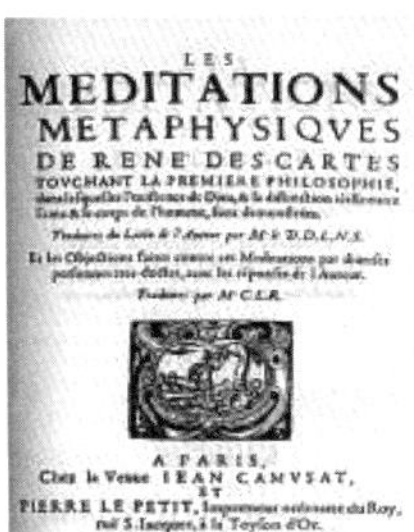
LES
MEDITATIONS
METAPHYSIQVES
DE RENE DES-CARTES
TOVCHANT LA PREMIERE PHILOSOPHIE,

A PARIS,
Chez la Veuue IEAN CAMVSAT,
ET
PIERRE LE PETIT, Imprimeur ordinaire du Roy,
ruë S. Iacques, à la Toyson d'Or.
M. DC. XLVII.
AVEC PRIVILEGE DV ROY.

데카르트.

모델에 입각해서 설명하는 유일한 지배적 결정론이다.

심지어 데카르트는 회화의 이미지조차도 하나의 자의적 기호 체계로 해석한다. "그 어떤 이미지도 그것이 재현해내는 대상과 닮을 필요가 없다"[7]라고 선언한 데카르트는 플라톤의 미메시스론을 완벽히 뒤집는다. 그는 동판인쇄 그림을 예로 들면서, 원근법을 적용하면 실제로는 원의 모양이 달걀형으로, 사각형은 마름모꼴로 표현되어야 그것을 원으로, 사각형으로 인식할 수 있다고 하면서, 하나의 이미지가 진실한 것이 되려면, 그리고 보다 완벽한 이미지가 되어 대상을 보다 잘 표현하려면 오히려 대상을 닮지 않아야 한다고 주장한다. 중요한 것은 우리의 지적 판단에 의해 그 지시대상을 알아 볼 수 있게끔 적절한 기체(基體 : 토대)를 사용하는 것이다. 이미지가 의미를 갖는 것은 합리적 체계에 의해서일 뿐 이미지 그 자체는 아무런 의미도 없다는 합리주의적인 사고 내에서 그 자체 의미의 담지자로서, 우리가 표현할 수 없는 것까지 그 의미가 연장될 수 있는 상징적 이미지란 폄하될 수밖에 없는 것이다.

데카르트의 생각은 '인간의 기호적 표현의 의미는 그 구조와 체계에 있다'라는 현대의 구조주의 언어학이나 기호학의 명제와도 일맥 상통한다. 이미지 그 자체는 아무런 필연적 의미가 없으며, 단지 약속된 코드에 의해서만 그 의미가 드러나는 것이라면 , 이제 이미지에 대한 성상 파괴주의는 완성된 셈이다. 우선은 이미지가 하나의 텅 빈 자의적 기구로 축소된다는 의미에서이고, 다음으로는 그 결과 이미지의 세속화가 완결된다는 의미에서이다.

'나는 생각한다, 고로 나는 존재한다 *Cogito ergo sum*'라는 데카르트의 저 유명한 명제는 인간 존재, 더 나아가 인간 밖의 세상 존재의 준거를 인간의 이성에 둠으로써, 이성을 지닌 인간의 오만심을 북돋을 수는 있었을지 모르나, 이성 이외의 다른 인식 능력을 이성에 의해 확보되는 정확함에 이르지 못하는 하위 기능으로 폄하하며, 또한 인간을 둘러싸고 있는 우주 전체의 중심에 오만하게도 인간의 이성을 위치시킴으로써 우주와의 교감에서 비롯한 우주론적 인식의 가능성을 배제한다. 다시 말하지만 그것은 서구 성상 파괴주의의 하나의 완성을 의미한다.

경험주의, 역사주의, 실증주의

데카르트의 합리주의에 의해 완성된 성상 파괴주의는 이후 여러 변주를 낳게 되는데, 기본적으로는 인간의 이성 중심주의에 입각한 이원론적 인식에 충실하면서 그 주역을 슬쩍슬쩍 바꾼 것들이라고 간주할 수 있다.

데카르트의 '나는 생각한다, 고로 나는 존재한다'라는 명제가 사유하는 주체에 강조점을 둔 것이라면, 경험주의(empirisme)는 그 강조점이 존재하는 사물에 대한 경험으로 옮겨가면 나타나게 된다. 흄(D. Hume)과 뉴튼(I. Newton)으로 대표될 수 있는 경험주의는 실제로 경험할 수 있는 사상(事象)들과 현상들의 범주를 묶고 규정하려고 노력하면서 이미지와 상상계를 꿈속의 환각이나 비합리적인 것으로 전면 부인한다. 이미지는 세상을 지배하는 유일한 원칙을 찾아내는 데 방해물로 여겨질 뿐이다.

그런데 그러한 원칙은 사상(事象)이나 현상 중에서 어느 것에 주목하느냐에 따라 다시 갈래가 있다. 지각으로부터 유래하는 '관찰과 경험'의 산물로서의 사상을 중시할 때, 그것은 본래의 의미를 지닌 경험주의로 나타나지만 '역사적 사건'으로서의 사상(事象)을 중시할 때 훗날 역사주의(historicisme)가 나타난다. 바로 이 경험주의와 역사주의에 의해 인간의 지각과 이해 및 순수이성이라는 수단에 의해 탐사가 가능한 현상 영역과 결코 인식할 수 없는 영역, 즉 죽음, 초월과 같은 커다란 형이상학 문제의 영역 사이에는 도저히 메울 수 없는 간격과 건너 뛸 수 없는 경계가 정교하게 확립된다.

19세기의 대표적 사조라 할 수 있는 실증주의는 이 경험주의의 사실성과 고전적 합리주의의 논리성을 바탕으로 하여 확립된 것으로서, 그러한 합리주의와 경험주의에 과학주의가 덧붙여진 것이라고 보면 된다. 실증주의의 대부라고 할 수 있는 오귀스트 콩트(Auguste Comte)[8]는 인간의 의식이 이성의 개입의 정도에 따라 진보의 길을 걸어왔다고 주장했으며, 그 의식의 진보 과정을 신학의 시대, 회의하는 이성의 시대(형이상학의 시대), 실증주의 승리의 시대, 이 셋으로 구분했다.

실증주의의 뒤를 이었으며 그 후계자라 할 과학주의(과학적인 방법이 통용될 수 있는 것만을 유일한 진실로 인정하는 독트린)와 역사주의(역사를 객관화시켜, 역사적 사건 속에서 실제의 현상으로 나타나는 것들 간에서 원인과 결과를 찾고, 역사는 진보한다고 믿는 독트린)가 서구의 주류로 확고히 자리잡게 되면서 이미지는 '저주받은' 운명이 되어 병든 정신이 보여주는 환각, 몽환적인 시인들의 몽상으로 대접을 받고 객관적 진리를 탐구한다는 과학의 영역 밖으로 추방당하여, 인간과 자연의 진리에 대해서는 아무것도 말할 수 없는 존재가 된다. 이미지와 상상력은 의식의 유년 상태의 표현이나 기능, 심지어는 오류와 거짓의 원흉으로 파문을 받게 되는 것이다. 보들레르가 스스로를 '저주받은 시인'이라고 일컬은 것은 바로 이러한 풍토하에서이다.

이미지에 대한 이러한 억압과 과소평가의 흐름은 참으로 집요해서 이미지와 상상력의 독자적 가치를 연구하고자 했던 사르트르(J. P. Sartre) 같은 이조차 이미지와 상상력이 비현실적인 가치만 지니며 현실의 의미작용과 관련지었을 때는 무(né-ant)에 불과하다고 결론 맺는다. 사르트르는, 상상력이란 기본적으로 자유의 표현으로서 현실 여건으로부터의 해방과 외적 현실의 일시 유보를 가능케 해주지만 그것이 열어 보이는 것은 비현실일 뿐이라고 말한다. 다시 말해 이미지가 자유로운 것은 그것이 무(無)와만 관련을 맺고 있고 사물의 현존을 사라지게 만들고 존재 자체를 부정할 수 있기 때문으로 사르트르의 입장대로라면 순전히 이미지는 비현실적인 상상력의 소산으로 지극히 제한된다.

서구의 철학과 인식론에서 상상계의 역할이 이렇게 침식된 결과 한편으로는 기술 진보에서 거대한 도약이 가능하게 되었고, 그 물질적 힘으로 다른 문명을 지배하게 되는 결과를 낳는다. 또한 질베르 뒤랑의 표현대로 '이 문명화된 백인 어른들'은 유별난 선민의식에 사로잡혀 자기 자신들 그리고 자기 자신들의 우수한 '논리적 정신'을 지상에 존재하는 여타의 이질적 문화들과 구분 짓고 그러한 문화들에 '전(前)논리적' '원시적' '야만적' '고대적'이라는 수식어를 붙인다. 이미지가 '영혼에 대한 범죄' 취급을 받는 이상, 서구 문화보다 이미지·상징·제의가 풍요롭게 꽃 피운 문화는 '이미지 없는 사고'를 키워온 서구 문화에 비해 열등한 문화가 될 수밖에 없다는 것이다.

따라서 우리가 이미지의 풍요로움과 의미를 제대로 그리고 구체적으로 맛보기 위해서는 비서구적인 문화를 보다 깊이 탐구하는 방법이 유익할 수 있을 것이다. 하지만 성상 파괴주의의 도도한 흐름이 주도해온 서구 내부에서도 이미지와 상상력의 가치를 옹호하는 일종의 저항이 끊임없이 존재해 왔으며, 어찌 보면 성상 파괴적 이원론의 서구 문화에 균형을 취해주고 서구 문화라는 것이 증발될 위험으로부터 서구를 지켜준 것이 바로 그 저항의 물결이었음을 또한 주목해야 할 것이다. 우리가 이제부터 간략하게 살펴볼 것이 바로 그 상상계 저항의 흐름이다.

이미지 옹호의 흐름 : 상상계의 저항들

기독교 내부의 성상 옹호주의

우리는 앞서 기독교 내의 성상 파괴주의에 대하여 말했다. 그런데 기독교사를 자세히 살펴보면 기독교 내부에 성상 파괴주의의 흐름이 일방적으로 존재했던 것은 아니다. 예를 들어 8세기에는 기독교 내부에서 유명한 성상 파괴주의 논쟁이 있었고, 결국은 성상 숭배주의가 승리를 거두는 결과를 낳는다. 그리고 당시의 성상 숭배주의자들에게 직접 영향을 미친 것은 이미지에 대한 플라톤적인 개념의 유산이다. 따라서 그러한 성상 숭배주의의 승리가 무엇을 의미하는가를 알아보기 위해서는 플라톤(Platon)을 잠시 살펴보아야만 할 것이다.

플라톤은 비가시적 절대 형태로서의 이데아와 이데아가 훼손되어 나타날 수밖에 없는 가시적 세계를 엄격히 구분하고 있다. 그런 의미에서 그는 수직적 이원론자로 볼 수 있으며, 그것이 플라톤에 대한 일반적인 견해이기도 하다. 하지만 플라톤이 가시적인 세계를 온통 부정한 것은 아니다. 그는 이 세계의 가시적 이미지는 절대 형태에의 인식과 도달을 가능케 하는 열쇠의 구실을 하고 있다고 보았으며, 또한 조물주의 세계 창조에는 이상적 형태의 근본 속성이 함께 투사되고 있다고 보았다. 요약하자면, 모방적 이미지는 그것이 형상화해 보여주는 본질과 하나의 친족 관계로 맺어져 있다. 따라서 이미지는 언제나 그 근원으로 우리를 이끌 수 있는 영원하고 신비적인 방향성을 그 안에 지니고 있으며, 결국 이미지 속에 천명된 본질 세계가 그 이미지의 존재 자체를 보증한다고 본다.

따라서 영혼의 실존, 죽음 너머의 세계, 사랑의 신비 등 표현하기 어렵고 증명하기 어려운 진실에 이르는 길은 신화적 상상력에 입각한 이미지적 표현에 의해서 마련될 수 있음을 플라톤은 인정한 셈이라고 볼 수 있다. 따라서 이미지들이란 하나의 우상이거나 그 자체로 외면해야 할 텅 빈 존재(다른 곳을 응시하게 만드는)가 아니라 그 자체의 응시를 통해 그 안에 들어 있을 본질적 의미를 찾아 최초의 에이도스적(Eidos) 형태(훼손되기 이전의 형태)로의 귀환을 추구해야 할 중요한 존재가 된다.

8세기의 장 다마센느(Jean Damascène, John of Damascus)[9]를 중심으로 한 성상 옹호론자들이 신의 강림(Incarnation)을 중심으로, 성상은 이 속세에 타락한 채 존재하는 것이 아니라 저 높은 곳으로 우리를 이끌 수 있다고 주장한 논거의 바탕에는 이러한 플라톤적인 사상이 자리잡고 있었다.

사실 다마센느를 중심으로 한 성상 옹호론적인 운동은 8세기에 이르러 갑자기 나타난 것이 아니다. 전통적으로 비교적(秘敎的)이고 신비주의적인 경향을 띤 기독교적 흐름에 입각한 해석학은 조물주와 피조물을 지나치게 이원론적으로 구분하는 데서 생겨난 여러 가지 난점들을 피하고자 신이 자신과는 전혀 다른 세상을 창조했다는 천지개벽설보다는, 신이 창조한 가시적인 세계를 신과 다른 세계가 아니라 신이라는 절대 존재의 핏줄을 이어받은 하나의 이미지로 간주하면서 우주발생과 우주운용의 원리를 중시하는 입장을 택해왔는데, 성상 옹호론자들의 입장은 바로 그것과 맥을 같이 한다고 볼 수 있다.

가시적인 세계란 가없고 영원한 원칙으로부터 나왔으며, 그 원칙은 또한 자기천명을 통해 다양하고 가시적인 세계로 점차 스며든다는 것이다. 그러한 영혼과 정신의 내밀한 연루 관계에 의해 이 세상과 인간은 신의 외적인 의도의 산물로서 단순히 형상적 유사함만 지닌 것이 아니라, 즉 신의 이미지를 따라 만들어진 것이 아니라, 실제적으로 신의 이미지 자체가 된다. 따라서 인간들 영혼 속에는 신이 살고 있고, 그 영혼의 표현인 이미지, 성상 속에도 신이 살고 있으며, 신이 창조한 이 세상 내에 신이 살고 있는 것이 된다.

그러한 성상 중 원형에 해당하는 것이 바로 예수이다. 예수는 신의 독생자이다. 그리고 그는 인간의 모습을 하고 있다. 예수라는 가시적 인격은 그 안에 신의 말씀과 뜻 그리고 핏줄을 간직하고 있는 존재이다. 예수라는 구체적 육화·강림을 통해 신은 하나의 이미지로 나타난다. 즉, 절대적 세계, 비가시적 세계는 예수라는 구체적 이미지 속에서 가시적 세계와 결합한다. 가시적 인격 속에 육화되어 나타난 신의 이미지로서 예수에 대한 찬양과 숭배는 유대 일신교의 오랜 성상 파괴적 전통에 맞서서, 기독교 서구 사회에서의 이미지에 대한 최초의 복권을 가능하게 한다. 성상 숭배자들에게 예수의 이미지는 그 모델인 창조주와 동일한 의미이며, 성찬식에서의 빵이 곧 신성한 존재의 살을 의미하는 것과 같다. 이미지는 텅 빈 존재가 아니라 그 안에 절대의 의미를 담고 있는 존재로 직접적인 숭배의 대상이 될 수 있는 길이 열린 것이다.

그러한 복권 운동 덕분에 성자들, 즉 신과 어느 정도 닮은 꼴에 도달한 인물들의 이미지에 대한 숭배가 뒤따르게 되는바, 예컨대 그리스도의 어머니인 성모 마리아 상, 이어서 선구자 세례 요한, 사도들, 종국에는 모든 성자들의 상(像)에 대한 숭배가 이어지는 것이다. 장 다마센느가 여러 번 주장했듯이, 성상은 인간과 신을 가르고 있는 간격을 없앨 수 있는 미적 경험을 가능케 하는 하나의 통로이다.

예술적 열림 : 고딕 예술과 바로크

이미지에 대한 비잔틴 제국(동로마 제국)의 이러한 숭배의 전통이 기독교 내부에 있었던 명백한 성상 옹호주의의 흐름이었다면 뒤이어 서구 13~14세기에 있었던 고딕 양식의 개화 역시 그러한 흐름이 개화했던 단계로 간주할 수 있을 것이다. 서구의 고딕 양식은 성 프란체스코(François d'Assise)의 청빈주의의 뒤를 이은 성 보나벤투라(Saint Bonaventure)[10]의 모범주의(exemplarisme)의 영향 하에 꽃 피운 예술 양식이다. 신의 의지가 자연 만물에 육화되어 있다는 믿음 하에 자연은 선하다는 자연 예찬이 교회 건축, 회화 등 예술 양식에 도입된 것이다.

프란체스코의 청빈주의는 기본적으로는 청빈사상을 그 모토로 하고 있지만, 그 중 가장 핵심적인 것은 피조물에 대한 사랑과 기쁨이었다. 그리고 우리가 또 하나 주목해야 할 것은 청빈주의가 덤불 무성한 광야나 시골의 골짜기에 유리된 수도원의 엄격한 폐쇄성에서 벗어나 도시 한복판으로 뛰어들었다는 사실이다. 프란체스코는 구걸하면서 일반 대중 속에 뒤섞여 설교를 하고 포교를 했다. 기독교는 청빈주의에 의해 자연과 속세를 향해 열릴 길을 마련한 것이다.

프란체스코가 자연과 속세를 향한 열림의 길을 열었다면, 성 보나벤투라의 모범주의는 자연을 신의 숨결이 스며든 존재로 찬양하는 것을 가능하게 했다. 보나벤투라의 모범주의에 의하면 자연은 모두 창조의 재현들로서 그것들에는 모두 신의 은총이 깃들어 있다. 그리하여 그것들은 그 자체 창조자를 향한 하나의 초대가 되며, '신을 향한 인간의 여정'을 가능케 하는 매개자가 된다. 그 과정을 조금 자세히 서술하면 다음과 같다.

보나벤투라는 가시적인 세계와 비가시적인 세계를 모두 포함시켜, 이 세계를 하나의 모델(모범) 역할을 하는 영원불변의 절대 형태, 감각적인 그림자로서의 가시적 세계, 이 가시적 세계에 새겨진 영원성의 흔적, 셋으로 구분했다. 따라서 신의 창조란 신의 구도를 높은 곳으로부터 낮은 곳으로 비추이는 거울의 작용과 비슷한 것으로 비교되었다. 그리하여 신을 향해 인간이 걸어야 할 길은 감각적 세계로부터 출발해 점점 더 높은 신을 향해 나아가는 길이 되며, 그것을 가능하게 해주는 것은 바로 이 가시적·감각적 세계에 새겨진 신의 흔적이다. '감각적 세계의 사물들이란 보이지 않는 신의 완성 표현'을 그 흔적으로 지니고 있기 때문이다. 따라서 신성은 그 이미지를 응시하면서 신성성 자체로 스며들 수 있게 해주는 것일 뿐만 아니라 창조의 재현인 이 자연, 창조 자체인 이 자연의 모습들이 바로 창조자를 향한 하나의 초대가 된다. 그로부터 자연은 자연스러운 찬양의 대상이 된다.

샤르트르 대성당.

그의 모범주의는 엄격한 유일신적 이원론에 입각한 서구 기독교에 이교도적이라고 부를 수 있는 자연 숭배의 다신교적 색채를 부여한 셈인데 물론 그의 자연주의는 아리스토텔레스적인 경험론에 입각한 자연주의와는 다른 것이다. 아리스토텔레스의 자연주의가 가시적인 세계에 대한 지각을 중시하는 것이라면 보나벤투라의 자연주의에서는 제아무리 낮은 상태에 있는 창조물이라 할지라도 그것을 응시하고 바라보는 것은 창조주의 전적인 호의의 흔적을 마주하는 것으로서 그 의미가 비가시적인 것까지 연장될 수 있기 때문이다.

기독교상의 이러한 흐름은 숲·바다·바람 등, 자연의 신성성을 숭배하는 켈트 지역의 감수성과 합류되면서 자연의 풍경들이 종교화에 도입되고 인간의 형상을 한 신성의 모습들이 의인화되어 표현되면서 성당 건축물에 자연적인 요소를 도입한 고딕 예술이 꽃 피게 된다. 고딕 예술에서는 엄격하게 유일신적이고 이원론적인 기독교가 일종의 범신론적인 이교로 회귀하는 모습으로까지 변모된 양상을 볼 수 있다.

바로크(baroque)

이러한 중요한 움직임과 함께 우리가 간과할 수 없는 것이 바로 바로크라는 예술 양식이다. 우리가 바로크 예술을 이해하려면 16세기의 종교개혁운동(Réforme)과의 관련성을 일별하고 넘어가야만 한다. 서구에서 종교 개혁의 필요성이 터져 나온 것은 교권주의 강화에 의한 교회의 세속화와 바로 앞에서 우리가 살펴본 기독교 신학이 마주한 위기 상황(범신론적 이교도화) 하에서이다. 종교 개혁이 공격의 대상으로 삼은 것은 직접적으로는 교회의 타락이었지만 그 내용상으로 볼 때는 교회 건물에서 자연을 모방하는 이미지들이 범람하는 현상과 신성 모독적인 성자의 상 숭배 풍조가 팽배한 현실이었다.

물론 종교 개혁시의 성상 파괴 운동은 엄밀한 의미에서의 상(像) 파괴 운동으로서, 신성성에 대한 숭배는 성서 숭배와 음악 숭배의 면모로 완화되어 나타났음을 지적해야 할 것이다. 그들은, 신성성은 상에 깃든 것이 아니라 성서에 깃들어 있으며, 영혼이 그 성령과 가까이 할 수 있게 인도하는 힘은 음악이 지니고 있다고 주장했다. 그리하여 프로테스탄트들은 '성서로 돌아가라'고 외치며 영혼의 절대 순수성을 주장했다.

종교개혁운동에 맞선 반 종교 개혁(Contre Réforme)은 시각적 이미지들, 회화, 조상(彫像) 및 성화를 추방시킨 종교 개혁적 성상 파괴 운동과 정확한 대척점에 위치해 있다. 그리고 예수의 성스러운 가계(家系 ; 예수, 마리아, 요셉) 및 동방 박사들과 사제들을 육화시켜 형상화하는 성상 숭배의 단호한 방법을 내세운 반 종교 개혁은 트렌트 종교회의에서 일시적 승리를 거두며 그 승리의 결과 번성한 예술이 바로크적인 예술이라고 할 수 있다.

바로크에 대한 정의는 수없이 다양하지만 장 루세(Jean Rousset)는 바로크적 기질을 대표하는 상징으로 변신의 신인 프로테우스(Protée)와 전형적인 과시의 상징인 공작(孔雀, Paon)을 내세운 바 있다. 바로크적 기질은 한마디로 변신과 과시로 요약되는데, 그 내용을 간략히 살펴보자.

뒤부아(C. G. Dubois)가 바로크에 대한 저술의 부제를『외관의 깊이』라고 했고, 페르난데즈(Fernandez)가 책제목을『천사들의 향연』이라고 한 것은 아주 적절하다고 할 수밖에 없다.『천사들의 향연』이라는 제목은 천사라는 순수한 영혼을 가진 존재의 이미지와 향연이 의미하는 육체적 쾌락의 이미지가 결합되어 비가시적인 순수 초월의 세계와 가시적 다양성의 세계를 연결시킨다.

또한『외관의 깊이』라는 제목은 가장 심오한 부분(깊이=본질)을 가장 피상적인 외관과 결합시킴으로써 물질성 및 육체성과 초월성, 현상과 본질을 그 어느 쪽도 배제하지 않은 채 하나로 융합시켜 준다. 모습 드러내기를 거부하면서(깊이), 동시에 호사스러운 외관, 이것이 바로 바로크적 예술의 특성을 압축해 보여주고 있는 것이다. 육체적이고 감각적이면서 때로는 저속하기까지 한 표현의 범람이면서 동시에 이 표면적인 것의 효과와 그것을 현란하게 꾸며내는 당당한 솜씨에 의해서 의미의 깊이에 도달하는 것, 거기에 바로크적 예술의 본령이 있다.

그러한 바로크 예술은 당연히 이 세계, 우주의 유일한 질서를 상정하고 그것을 합리적·논리적으로 설명하는 태도를 거부하게 된다. 바로크 기질에서 보면 우주는 불안정한 형태의 변화 그 자체이다. 바로크 예술은 우주를 그 변화 자체로 보되, 그러한 관점 하에서 여전히 영원한 것, 불변적인 것에 대한 향수를 강하게 간직하고 있으면 비극적 장엄미를 띠게 되고, 변화하는 것 내부에서 흘깃 우주 섭리의 편린을 발견했을 때 환희의 찬가가 된다.

그러한 바로크적 성향이 비논리적인 것, 환상적인 것, 감추어진 그림자 등을 선호하는 것은 당연하다. 바로크 예술의 장인적 솜씨는 외관의 호사스러움을 한껏 과시하기 위해 발휘되지만, 그 외관은 현실적으로 주어져 있는 외관을 그럴듯하게 모방한 것이 아니라, 그 솜씨에 의해 현실에 숨겨져 있는 것을 드러내는 외관이다. 16세기 말 앙리 3세 시대에 변장술, 위장술 등이 풍요롭게 발휘된 가면극이 성행하게 되는 것은 바로 그러한 바로크적 기질의 반영인 것이다. 그들에게 변화는 자연적인 현실의 변화가 아니라,

「성 이그나티우스 로욜라의 승천」,
안드레아 포조, 프레스코, 성 이그나티우스 교회, 로마.

언제나 활동중인 환상의 변화이다. 그들에게 현실은 환상이고 환상은 현실이다. 한 걸음 더 나아가 이야기한다면 바로크 예술에 있어 현실은 눈에 보이지 않는 환상의 부분적 발현일 뿐이며, 그들의 그 호사스러운 외관은 바로 현실 환상화의 방법이 된다.

그렇기에 바로크 예술은 외관으로 물러앉거나 외관에 집착한 예술이라기보다는 그 외관의 묘사를 극단까지, 자발적으로 몰고 간 예술이라고 볼 수 있다. 바로크 예술과 시는 오만함과 자신에 대한 긍정과 과시의 예술이다. 그래서 바로크 예술은 호사스럽고 풍요롭고 다양한 장식의 예술이 된다. 건축에서도 건물의 뼈대보다는 표면의 장식에 큰 비중을 두는 것이 바로크 예술이다.

그 호사스러움에는 거대한 운명의 가혹함에 맞서 인간적 솜씨를 뽐내는 자기 현시적인 욕구가 들어 있기도 하지만 그 호사스러움, 인간적인 가치, 인간의 정념과 영혼의 변덕스러움 그 자체에서 삶과 우주의 섭리를 분리시키지 않으려는 하나의 당당한 자세가 들어있다. 바로 그렇기에 바로크적 감수성이란 인간 내부의 근원적 불안 그리고 인간의 궁극적 가치와 가능성에 대한 믿음이 공존하는 예술이라고 할 수 있다. 바로크 예술에는 고전주의가 지니고 있는 인간의 의지, 이성에 대한 믿음으로서의 오만함 대신에, 변화 속에 놓인 존재의 불안함이 있다. 하지만 그 불안함 뒤에는 미지의 우주 질서 앞에서 떨고 있는 인간 존재의 나약함만이 있는 것이 아니라, 인간

관능의 극대화 속에서 바로 그 우주의 숨결과 일치하는 순간을 맛보려는 욕구, 맛볼 수 있다는 가능성에의 믿음이 있다.

그래서 바로크 예술 속에서 성스러운 것과 속된 것, 영원한 것과 가변적인 것의 이원적 대립은 약화되어 하나로 융합된다. 바로크의 본령은 인간 육체의 감각이 맛볼 수 있는 최대의 황홀경과 환희 또는 인간의 육신이 겪게 되는 고통을 부정하지 않으면서, 아니 바로 그 환희와 고통 속에서 영혼이 비상할 수 있기를 꿈꾸는 데 있으며, 바로 그렇기에 인간의 육신 자체를 영혼의 현시 장소가 될 수 있을 만큼 고양시키는 데 있다. 영혼과 육신의 그 어느 쪽도 한쪽의 이름으로 부정하지 않고 영혼과 육신의 하나됨을 노래하는 것, 구가하는 것이 바로크의 본질인 것이다.

그리하여 조각이나 그림으로 표현된 이미지들과 정밀화에서 볼 수 있듯이 마치 조각처럼 보이게 하는 회화의 이미지들이 교회 속에서 범람하게 되어, 제수이트(Jésuite) 양식으로 세워진 새로운 대성당의 중앙 홀이나 한껏 호사스런 교회 건축 양식 자체에 바로크 예술이 한껏 꽃을 피웠고, 그것은 서구 예술에서 상징적 이미지가 꽃을 활짝 피웠던 몇 안 되는 예의 하나가 된다.

낭만주의와 상징주의 : 실증주의의 한 복판에서

그러나 이미지의 가치와 상상계의 자율성을 드높인 이런

상상계의 저항들은 고전주의의 이상을 그대로 다시 채택한 18세기의 철학들이 계몽의 이름으로 인간 이성의 승리를 공고히 함으로써 그 힘을 상실했고, 이성의 권능에 필적할 만한 지위를 상실한 것이 사실이다. 하지만 18세기의 계몽주의, 19세기의 저 의기양양한 실증주의와 과학주의 그리고 역사주의의 흐름 속에서도 이미지와 상상계를 옹호하는 움직임이 여전히 존재했었고, 그것이 오늘날의 이미지와 상상력에 대한 새로운 인식론을 세우려는 노력으로 이어져 왔다. 이제부터 그 흐름을 아주 간략히 정리해 보기로 하자.

그것은, '이미지'라는 특수한 분야가 그에 대한 온갖 억압에도 불구하고 여전히 살아남아 그 유효성을 입증해온 역사라기보다는 서구의 합리주의·실증주의가 드러내 보이는 편협한 인식론과 인간관으로 인해, '인간'과 '인간의 표현' 그 자체가 인간의 이름(이때의 인간은 서구적 인식의 의미에서의 인간이다)으로 억압당하는 데 대한 자연스런 반발의 흔적이요, 역사라고 보아도 될 것이다.

우선 우리가 고려해야 할 것이 18세기부터 19세기까지 독일을 중심으로 일어났던 초기의 전기 낭만주의 운동(질풍노도 운동)과 본격적인 낭만주의 운동이다. 낭만주의는 고전적 미학이 지주로 삼고 있던 지각의 오감 너머에서, 제육감(第六感)을 최초로 인정하고 묘사한다. 레옹 셀리에(Léon Céllier)가 잘 지적하고 있듯이, 낭만주의자들의 핵심적인 단어는 바로 영혼(l'âme)이었으며, 그 영혼의 여정을 통해 인류 전체의 삶(Humanité)을 온전하게 살아서 구원에 이르는 것이 그들의 야망이었다. 개인적이고 주관적인 자아에서 벗어나 인류 전체의 총체적 삶의 역사를 구현하겠다는 낭만주의 최후의 야심에서(절대적 미에 도달한다는 플라톤적인 명제와 흡사하지 않은가!) 이성이나 지각보다는(그 모두 개인적이고 시공의 제한에 갇혀 있다) 이미지와 상상력이 특권을 부여받는 것은 당연한 일이다.

이미지에 의한 직관에 특권을 부여하면서, 순수이성과 실천이성 곁에서 기호(嗜好) 판단을 통한 인식의 과정을 이론화한 사람이 칸트(I. Kant)이다.

칸트는 지각들을 단순히 배합해서 하나의 표현을 만들어내는 재생적 상상력과 선험적·초월적으로 존재하는 생산적 상상력을 구분한 후에, 그러한 선험적 상상력은 직관에 앞서, 직관 속에 나타날 유사 표현을 만든다고 했다. 그는 이미지를 만드는 상상력의 기능이란 지각의 선험적 형태로서의 시간과 공간과 이성의 범주를 접합시키는 데 있다고 하면서, 상상력은 단순한 지각을 이성의 도식에 통합될 수 있게 준비해주는 기능을 갖는다고 설명했다. 자세한 설명은 생략하거니와, 칸트는 데카르트의 합리주의에 의해 객관성의 이름으로 추방된 주관성, 텅 비워버린 자아를 다시 인식의 장으로 끌어들였으며 인간의 인식 과정에 이미지를 편입시켰고 상상력 및 이미지화된 사고를 복권시키는 데 큰 공을 세운 것이다.

칸트에 이어 셸링(Schelling)과 쇼펜하우어(Schopenhauer) 그리고 헤겔(Hegel)의 철학들은 이전에 경시되었던 미학과 상상력을 그들의 저술에서 아주 중요하게 다루며, 19세기 초 독일의 시인인 횔덜린(Hölderlin)의 시인 예찬(시인은 창조자)은 프랑스의 보들레르와 랭보(Rimbaud)에 의해 다시 채택되어 전자는 상상력에 '기능들 중의 여왕(la reine des facultés)'이라는 왕관을 씌웠고, 후자는 '시인이라는 전 존재는 견자(見者, voyant)가 되려는 경향이 있다'고 확언했다. 그리고 이미지와 상상력이 한 의미의 쟁취자와 생산자적 지위로 끌어올려진 것은 바로 이 상징주의 운동에 의해서이다.

상징에서 의미하는 상징의(象徵意, symbolisé)는 일반적인 기호의 기표(記表, signifiant)로서는 표현할 수 없는 부분까지 암시적으로 연장이 된다. 그리하여 상징주의자에게는 현상계 전체가 상상계 혹은 초월계를 암시적으로 보여주기 위해 하나의 상징표(symbolisant)로 존재해야만 하는 것이며, 예술가의 창조성은 이 세계를 현상계 내부에서 기표와 기의(記意, signifie) 관계를 찾는 기호의 차원에서 끌어올려 다른 세계까지 그 의미가 연장되는 상징으로 변화시키는 것이다.

이미지는 상징주의에 의하여 의미가 텅 빈 기호나 하나의 장식에 머물러 있는 것이 아니라 하나의 상징이 되기만 한다면 그 자체로 하나의 의미를 품고 있는 의미가 된다. 의미가 가시적인 현상 너머까지 연장된다는 상징주의의 상징이 우리가 앞서 살펴본 성상과 얼마나 유사한 것인가는 다시 강조할 필요가 없을 것이다.

이러한 상징주의의 흐름은 자연히 20세기 전반기의 초현실

「환영」, 귀스타브 모로, 유화, 142×103m, 1874~1876년, 귀스타브 모로 미술관, 파리.

주의에 도달하게 된다. 20세기 초반기의 초현실주의자들은 상징주의가 말한 바 있는 대문자 자연(Nature, 예술적 창조를 통해 상징이 된 자연)의 그 마술적 형이상학과 막 태어나기 시작한 정신분석학에 의해 발전된 인간의 충동, 무의식, 그림자(Ombre)에 대한 객관적 분석을 교차시켜 적용한다. 그들에게 상상력은 때로 인간이라는 자연적 존재의 자연스런 욕망과 동일시되고, 이미지는 그 심층 의식을 드러낸 것으로 간주되기도 하여 때로는 우리의 감각 너머에 있는 세계, 이 세계의 논리와 물리로부터 벗어나는 초현실의 탐색을 가능케 하는 것으로 간주되기도 했다. 그러나 초현실주의자들이 이미지와 상상력에 부여한 가치는, 특히 후자 쪽에 무게가 있으며, 따라서 상상력은 그리고 상상력이 발휘된 예술 작품은 현실을 뛰어넘어 그 현실의 한계에서 벗어나는 것, 그리하여 보다 완전한 현실에 도달하는 방법이 된다.

낭만주의나 상징주의, 초현실주의 등의 예술 운동은 우리의 관점에 의하면 19세기나 20세기에 일어난 당대적인 새로운 예술 사조의 의미에 국한되지 않는다. 그러한 사조들은 성상 파괴주의라는 서구의 풍토병적인 흐름 내에서 그러한 흐름에 저항하면서 인간의 이름으로 인간에 대한 총체적 이해를 위해 노력해온 성상 옹호주의의 기나긴 흐름에 속한다. 그렇게 볼 때 그러한 흐름은 분명 서구의 내부에서 일어났던 인식이나 예술의 흐름에 속하지만 그것이 서구 인식의 주류에 속하지 않는다는 의미에서 비서구적인 인식이 서구 내부에서 살아남아 있는 모습이라고 볼 수도 있다. 그리고 우리가 한걸음 더 나가 이야기한다면 그러한 인식이나 예술 사조는 그것이 서구에서는 비주류에 속하는 인식인 만큼 서구와는 다른 인식, 예컨대 동양적인 인식에 더 친근한 인식이라고 볼 수도 있을 것이다. 프랑스의 상징주의 예술가나 독일의 낭만주의 예술가들의 작품세계를 동양의 선적인 직관의 세계, 불교의 세계, 도교적 세계와 연결시키는 연구가 요즘 우리 나라에서 많이 나타나고 있는 현상은 그러므로 당연한 것이라고 볼 수도 있다.

이미지 폭발의 시대 : 성상 옹호주의의 승리?

이제 우리의 관점을 현재에 두고 이야기를 진행시켜 보기로 하자. 우리가 이제까지 유지해온 관점에서 보자면 적어도 서구에 관한 한 우리는 아주 이상한 역설과 마주하고 있는 셈이다. 무슨 역설인가?

누구나 인정하다시피 우리는 오늘날을 영상문화의 시대라고 부르는 데 익숙해 있다. 그리고 그것은 우리가 구텐베르그 시대라고 불렀던 활자매체의 시대가 끝이 났다는 것을 의미한다고 일반적으로 생각한다.

여기서 앞서 살펴보았던 내용을 상기하기로 하자. 구텐베르그 시대, 즉 활자매체시대라는 것은 무엇을 의미하는가? 문자는 언어적 표현의 가장 세련된 형태이다. 따라서 활자매체시대란 언어를 중시하는 청각 중심주의 문화가 절정에 이른 시대를 뜻한다고 볼 수 있다. 그렇다면 구텐베르그 시대가 가고 영상시대가 도래했다는 것은 서구의 오랜 풍토병적인 성상 파괴주의가 종언을 고하고 드디어 성상 옹호주의가 승리를 했다는 것을 의미하는가? 얼핏 보기에 그렇게 결론을 맺어도 좋은 것 같지만 사태가 그렇게 단순하지만은 않다. 우선 우리는 이른바 영상시대라는 것이 어떻게 하여 도래하게 되었는가를 살펴보아야 하는 것이다.

서구가 어떻게 이미지 문명의 폭발 현상을 맞이하게 되었고, 전세계로 확산하게 되었는가를 시시콜콜하게 살펴보지 않더라도 그러한 현상이 실증주의적 교육의 승리를 가져온 과학주의의 산물이라는 것은 명백한 사실이다.

인간이 흑백사진 이미지를 발견하고 이어서 색채 이미지를 발견하게 된 것은, 암실 렌즈를 통해 거꾸로 투사된 이미지를 감광판 위에서 보존하는 것을 가능하게 한 화학의 발전 덕분이다. 그리고 망막에 투사된 이미지의 잔류 현상을 밝히고 그것을 이론화한 다음 그 이론을 기계적으로 적용한 결과 나온 것이 바로 활동사진이다. 그리고 그러한 이미지들과 필름들을 즉각적으로 멀리 떨어진 곳으로 전송할 수 있게 된 것도 새로운 과학적 이론의 발전과 전자파의 발견 덕분이다. 거기에 자기(磁氣)매체에 대한 물리학의 발전 결과 비디오카세트와 비디오디스크가 발명되었으며, 그로 인해 이미지들은 급속도로 확산·배포될 수 있었다. 이미지 제작·전송·유포의 기술이 발명되고, 그 모든 것이 다량으로 이루어지게 된 것은 과학 기술의 발전 덕분이며, 그러한 과학 기술이 발전할 수 있었던 것은 서구의 과학주의 덕분이다.

그리고 우리가 다시 강조할 필요도 없이 서구의 과학주의는 서구가 오랫동안 키워온 성상 파괴주의의 결과이다. 그렇다면 이미지 폭발의 시대는 역설적이게도, 이미지를 억압해온 서구 성상 파괴주의의 정점에서 마주하게 된 것이며 이미지를 억압해온 인식이 가져온 결과라는 묘한 결론을 내릴 수 있다. 우리가 마주하고 있는 이미지 시대의 복잡성은 바로 거기에서 연유한다. 우리는 이미지가 범람하는 오늘날의 사회를 서구의 성상 파괴주의적인 인식의 흐름이 종언을 고한 후 찾아온 새로운 사회라고 단순하게 규정내릴 수도 없지만(새로운 세상이 도래한 것이 아니다. 즉, 성상 옹호주의적인 세계가 된 것이 아니다) 그렇다고 해서 오늘날의 현상을 서구의 성상 파괴주의적인 흐름의 자동 연장선상에서 파악하는 것도 잘못된 것이다. 간단하게 정리해서 말한다면 오늘날은 서구에서 끊임없이 강력하게 이어져 오던 성상 파괴주의적인 흐름과 그 흐름보다는 훨씬 산발적이있으며, 피지배적이었던 이미지의 인식 기능을 긍정하는 흐름, 즉 성상 옹호주의적인 흐름이 합류하는 지섬에서, 절정에 달한 성상 파괴주의 덕분에 이미지와 비디오의 혁명시대를 맞이하고 있다고 보면 될 것이다.

우리는 여기서 그러한 비디오 혁명을 가능하게 한 성상 파괴주의가 정점에 이른 오늘날, 그러한 성상 파괴주의의 흐름에 거역해서 이미지와 상상력의 중요성을 인식하고 그 권능과 가치 회복을 위해 힘써온 사람들이나 학문들, 예를 들자면 프로이트의 정신분석학, 융의 심층심리학, 바슐라르의 이미지의 현상학, 레비스트로스의 인류학, 리쾨르의 해석학, 카시러의 상징적 형태의 철학, 뒤랑의 상상계의 인류학들을 일일이 살펴보지는 않을 것이다. 단지 성상 파괴주의가 절정에 달했던 19세기 실증주의 시대부터, 이미지와 상상력의 가치에 눈을 돌리고 그것의 인식적 기능을 확인하는 연구 업적들이 여러 분야에 걸쳐 행해져서, 서구의 오랜 성상 파괴주의를 내부로부터 반성하고 그 독단성·편협성을 비판하는 작업들이 오늘날까지 이어져 오고 있었으며 이제 상당한 반향을 얻고 있다는 점만 강조하기로 하자. 그리고 그러한 작업들을 우리는 인식론 차원에서 벌어진 성상 옹호주의의 흐름이라고 간주할 수도 있을 것이다. 우리가 비디오 혁명의 시대를 앞에서 '서구에서 끊임없이 강력하게 이어져 오던 성상 파괴주의적인 흐름과 그 흐름보다는 훨씬 산발적이었으며 피지배적이었던 이미지의 인식 기능을 긍정하는 흐름, 즉 성상 옹호주의적인 흐름이 합류하는 지점'이라고 규정한 것도 그 때문이다.

그렇다면 그 결과 우리가 마주하고 있는 상황은 어떠한 것인가? 한마디로 아주 묘한 상황이라고 할 수 있다. 우리는 이미지 시대를 새로운 인식과 새로운 삶의 가능성으로 환영하면서 수용하는 태도와 그것의 위험성을 경계하는 태도가 뒤섞여 있는 묘한 상황에 처해 있다.

과연 이미지의 폭발 현상을 단순히 새로운 시대의 도래로서 태평스레 환영하고 있어도 되는 것인가? 사정은 그렇지 않다. 우선 우리는 이미지 시대의 도래를 이미지 범람 현상 혹은 폭발 현상이라고 부르지 않는가? 범람이니 폭발이니 하는 표현은 이미 오늘날의 현상을 부정적으로 보고 있음을 보여주지 않는가? 그 표현 자체에 이미 그 위험을 경고하는 마음이 들어가 있지 않은가? 그렇다면 이미지의 폭발이 가져올 위험은 어떤 것이 있을까? 간략히 살펴보기로 하자.

이미지 폭발의 이면

사실 이미지의 폭발 현상을 통해 요람에서 무덤까지 우리를 둘러싸고 우리에게 영향을 주게 된 이미지는 우리의 성찰과 몽상을 유도하는 이미지가 아니라 영화나 텔레비전을 통해 유포되는 소비 이미지이다. 우리의 성찰과 몽상을 유도하는 이미지, 예컨대 미술의 회화적 이미지들은 우리의 능동적 참여를 요구하는 이미지들이며 우리의 창조적 상상력을 유도하는 이미지들이다. 그러나 영화, 특히 텔레비전을 통해 주어지는 이미지는 수동적인 관객에게 일방적으로 의미를 전달하는 경향이 있다. 우리에게 의미가 수동적으로 전달된다는 것은 우리의 가치판단이 마비될 위험이 있다는 뜻이다.

흔히 우리는 착각한다. 우리에게 수없이 많은 이미지와 정보가 제공되어, 우리는 그 중에 도움이 되는 것을 능동적으로 선택할 수 있으며, 그로 인해 우리의 선택의 폭이 넓어질 수 있다고 말이다. 하지만 조금만 생각해 보면 누구나 알 수 있다. 우리에게 주어지는 정보가 많으면 많을수록 정보 더미에 치여서 혹은 정보의 그물에 덮여서 오히려 그로부터 헤어 나오기 힘들어지게 된다. 우리는 우리의 입맛에 맞는 것을 고른다고 하지만 그 입맛은 이미 편식에 길들여진 입맛이기 십상이다. 그리고 그런 편식증을 아무런 거리낌 없이 만족시키면서(즉, 이미지를 소비하면서) 우리 앞에 제공되는 이미지를 아주 편안하게 소비한다. 우리에게 주어지는 이미지와 정보의 가치가 실제의 무게와 가치와는 상관없이 균질화될 위험이 있게 되는 것이다. 화려한 버라이어티 쇼나 9.11 테러나 소말리아에서 사람들이 굶어죽어 가는 정보(이미지로 제공되는 정보)를 똑같은 식욕으로(똑같은 무식욕으로!) 무덤덤하게 소비하는 것이다.

그러면 무슨 일이 벌어지는가? 바로 이미지에 의한 정보 조작이 쉬워진다는 것이다. 우리의 무의식 속에서 정보나 사건의 중요성은 주어지는 이미지의 화려함이나 풍요로움에 의해서 결정되고, 그것의 진실성은 그것이 여러 번 반복되느냐 아니냐에 의해 결정되는 일이 벌어진다. 그렇게 우리의 무의식 속에 자리를 차지한 정보는, '야, 그거 텔레비전에서 보니까 정말 대단하더라' 혹은 '끔찍하더라' 혹은 '아주 중요한 문제더라'하는 의견들이 교환되고 그런 정보가 여러 매체를 통해 여러 번 반복되어 보도되면 그대로 의심할 바 없는 진실이 되어버린다. 그리고 그것은 그대로 여론이 된다. 그리고 그러한 여론은 첨단의 정보 유통망(인터넷)을 통하여 순식간에 널리 유포되어 막강한 힘까지 갖게 된다. 그것이 바로 여론 권력이다. 그러나 그러한 여론에는 정작 그 여론을 형성한 집단의 주체적 가치 판단이나 참여가 빠져 있다. 그 여론은 이미지 자체의 가공할 힘과 이미지와 정보의 전파 기술이 만들어 낸 여론이다. 그리고 그 여론 권력은 그러한 정보를 공유하거나 그러한 의견에 동조하는 사람들과는 무관하게 형성된 권력이다.

바로 이 점에 이른바 영상·정보화 시대가 안고 있는 가장 큰 위험이 도사리고 있다. 모든 이미지들의 생산자가 불분명해지면서, 더 나아가 익명이 되면서 정체를 알 수 없는 이미지 생산자에 의한 윤리의 조작이나 정보의 차단이 가능하게 되는 것이다. 그때 '정보의 자유'를 슬로건으로 내세우고 있는 듯이 보이는 현대 사회가 거꾸로 '정보 차단의 자유'를 보장하는 사회로 바뀌는 묘한 일이 일어나며, 첨단 영상·정보화를 이룩한 사회는 역으로 획일적 가치가 지배하는 야만의 시대가 되어버릴 위험을 인류 역사상 그 어느 시대의 그 어느 문화보다 더 많이 안고 있는 사회가 된다.

그렇다면 그러한 위험은 어떻게 해서 오게 된 것일까? 이미지 자체가 안고 있는 위험 때문일까? 그렇기도 하고 그렇지 않기도 하다. 우선 우리가 이 책에서 다루고 있는 주제에 맞게 말한다면 이미지가 범람하는 현상은 성상 파괴주의적인 인식을 키워온 서구 사회 전체에 커다란 위협이며, 근본적인 사회

변화의 요인이 될 수 있다는 의미에서 이미지 자체는 위험한 것이며 그 범람 현상은 더욱이 위험하다. 그 범람 현상은 일종의 문화 혁명이라 일컫을 수 있는 사회 전반의 지각 변동을 가져올 수 있다.

그러나 보다 기본적인 위험은 이미지 자체가 지닌 폭발력에서 온다기보다는 이미지의 폭발 현상이 가져올 결과의 심각성에 대해서는 아무런 고려나 검토 없이 이미지의 생산, 재생산, 전파의 기술들을 발전시켜 왔다는 것과 그 기술 발전의 결과물들을 무시해 왔다는 데서 온다. 우리가 위에서 살펴본 위험들은 이미지에 대한 성찰과 검토 없이 이미지 생산·유포 기술을 순진하게 현실에 적용시켰기에 오는 위험들이며 그 위험은 아주 크다. 그것은 마치 히로시마의 주민들을 파멸로 이끈 이후에야 '방사능 폭발'이라는 아주 순진한 발견의 위험을 알아차리고 화들짝 놀란 물리학자들의 경우를 우리에게 상기시킨다. 이미지 범람 시대에 대한 기본적인 성찰 없이 그 시대를 그대로 맞이하는 것은 히로시마의 재앙이 벌어져서 우리를 화들짝 놀라게 해주기를 기다리는 것과 같은 꼴이라고 볼 수 있는 것이다.

방사능 폭발 현상의 위험은 그 현상 자체로부터 오지는 않는다. 그 위험은 그것의 폭발력을 경시하거나 그 폭발력을 알고도 그것을 남용·오용하는 데서 온다. 실증주의와 과학주의, 더 큰 틀로 말한다면 성상(이미지) 파괴주의의 결과 서구가 맞이하게 된 이미지 범람의 시대는, 그러므로 성상 옹호주의가 승리한 시대가 아니라 성상 옹호주의가 제대로 자리를 잡기 전에 엉겁결에 다가온 현상이라고 이해하는 것이 마땅하며, 그렇기에 더 늦기 전에 이미지와 상상력에 대한 시급한 성찰이 절실한 시대라고 보는 것이 옳을 것이다.

우리가 성상 파괴주의와 성상 옹호주의라는 제목 하에서 서구 인식의 틀과 흐름을 살펴본 것도 실은 이미지에 대한 깊은 성찰의 길을 열어 보이기 위한 것에 다름 아니다. 사실 이미지가 폭발적으로 유포되고 있는 현실 속에서 살고 있는 것은 서구인만이 아니다. 서구의 과학이 발전시켜온 이미지 대량 생산과 대량 유포 기술 때문에 우리 역시 요람에서 무덤까지 이미지에 덮여 살고 있다. 그들이 마주하고 있는 문제는 바로 우리의 문제라고 볼 수 있다. 그렇다면 우리는 어떻게 이 성상 파괴주의가 낳은 예기치 못한 결과물을 받아들여야 하는가?

비록 오랫동안 서구인의 심성을 지배해왔던 자문화 우월주의, 즉 백인의 선민의식이 많이 희석되었다고 하더라도, 그래서 그러한 자신의 인식에 대한 반성의 태도를 보인다 하더라도 그들이 이미지에 대하여 갖는 보편적인 의식은 그저 심드렁할 뿐이라고 할 수 있다. 그 오랜 성상 파괴주의 속에서 묻혀 지낸 서구인들의 무의식 속에는 이미지(그렇게 몰아내려고 애썼던 병균!)에 대한 면역성이 충분히 생겼다고 생각하면서 이미지의 범람에 대하여 그저 무사태평일 수도 있는 것이다. '저것이 아무리 범람해도 우리는 그런 균에는 이미 면역이 되어 있으니 저러한 하찮고 유해한 것이 우리의 건전한 정신을 어찌하지는 못할 거야'라는 무사태평이 어느 정도 서구인의 무의식을 물들이고 있다고 보아도 된다. 그래서 그들 자신은 이미지의 범람 현상을 엔터테인먼트의 대상으로 삼을 수 있는 소지가 다분히 있다.

그렇다면 우리도 같이 심드렁할 수 있을 것인가? 아니면 서구의 일각에서 여전히 맹위를 떨치고 있는 문명주의, 즉 이미지·정보화 사회의 도래에 대한 긍정적인 수용의 입장을 그대로 우리의 것으로 할 것인가? 사실 그렇게 적극적으로 그러한 주장을 펴는 경우를 마주하기가 쉬운 것은 아니지만 후자적인 태도는 이미 우리의 정신 속에 깊숙이 들어와 있다고 볼 수 있다.

가장 간단하게 말해보기로 하자. 우리가 텔레비전이라는 문명의 이기를 접한 지는 이제 50년이 채 안된다. 처음에는 아주 신비스런 요술 상자처럼 여겨지던 것이 이제는 아주 보편적인 이미지·정보 소통의 도구가 되었다. 그래서 우리는 텔레비전 없는 세계를 상상하기 힘들다. 텔레비전이 없는 세계를 상상하기 힘들다는 것은 달리 말하면 그런 세상에서 살던 사람들을 상상하기 힘들다는 이야기와 같다. 그리고 우리는 곧바로 우리의 편견 속에서 결론 내린다. 텔레비전이 없던 시대의 사람들은 얼마나 재미없는 세상에 살았으며 무지했으며 비참했을까 라고. 그래서 기술의 진보 자체에 열광하게 되면, 즉 기술의 진보가 곧 인간의 진보라고 착각하게 되면 이미지 폭발의 시대에 사는 인간들은 그 이전의 인간과는 다른 인간, 더 나가 혜택 받은 인간이 된다.

더 이상의 자세한 이야기는 생략하기로 하자. 그러나 그런 인식에서 비롯될 수 있는 이런 착각은 우리가 충분히 경계할 수 있다. 즉, 앞선 세대는 후대 발전의 원인으로 존재하고 있으며 후대는 선대보다 훨씬 낳은 의식을 가지고 훌륭한 인간일 수밖에 없다는 착각이다. 그러나 간단하게 질문하기로 하자. 우리는 공자나 예수보다 자동차 운전을 잘 할 수 있을지는 몰라도, 컴퓨터를 능숙하게 다룰 수 있을지는 몰라도 그 결과 더 훌륭한 인간이 되었다고 할 수는 없다. 인간은 기술의 진보에 따라 그렇게 쉽게 진화하는 것이 아니며 어찌 보면 전혀 진화를 하지 않는다고 볼 수도 있다. 기술의 진보는 인간의 진보를 가져오는 것이 아니라 인간의 기본 욕망을 표현할 수단의 다양화를 가져오는 것을 의미할 뿐이며 인간의 표현 수단의 변화가 인간 자체를 바꾸지는 않는다. 따라서 우리는 영상시대·정보화시대의 도래를 마치 새로운 가능성의 인간, 가능성의 세계의 도래로 긍정하고 있을 수만은 없다. 그것은 서구가 키워온 성상 파괴주의적인 인식을 수동적으로 받아들여 더 적극적으로 우리가 서구화되는 것을 의미할 뿐만 아니라 어찌 보면 우리의 아이덴티티를 스스로 잃어버리는 길일 수도 있다.

그렇다면 우리는 이미지의 범람을 이질적인 문화의 침범으로 간주하여 그 해악을 경고하고 배척해야 하는가? 그런데 우리는 여기서 또 다른 묘한 역설과 부딪치게 된다. 이미지의 범람을 경계하는 태도와 새로운 시대의 도래를 찬양하는 태도의 인식론적 입지가 실은 동일하다는 것이다. 후자의 경우는 인간이 기술 진보에 따른 새로운 세계의 도래에 대한 낙관적인 전망에 근거하고 있다. 그런데 전자의 경우는, 대개 아주 완강하게 이미지와 상상력 자체가 빚을 수 있는 오류에 대한 공격으로 이루어져 있는 것이 일반적이다. 이미지가 범람하는 것이 위험한 것이 아니라 이미지와 상상력 자체가 위험하다는 것이다. 그 비판은 주로 성상 파괴주의적인 입장에서의 비판 형태를 띠고 나타난다. '이미지는 진리를 왜곡시키며 객관성을 담보해주지 못한다' '이미지 상상력은 비논리적이다' '이미지와 상상력은 모호한 내용만 전달할 뿐이다'라는 비판이 그 내용을 이룬다. 다시 중언할 필요도 없이 그 내용은 대개 서구의 성상 파괴주의가 가꾸어온 인간관과 인식에 기대어 있다. 전자가 영상시대의 도래를 기술 진보에 따른 밝은 결과로 보고 있다면 후자는 그것을 경계하고 있는 것이 차이점일 뿐이다. 그리고 그 차이점은 모두 성상 파괴주의라는 서구의 오랜 풍토병의 연장선상에 있다.

서구의 성상 파괴주의가 서구적 인식의 뿌리를 이루는 것이라면 서구의 성상 옹호주의는 그 대척점에서 서구 문화 자체가 하나의 살아있는 생명체가 되기 위해 나타났던, 성상 파괴주의의 압력 하에서도 꾸준히 생명력을 유지해왔던 자연적인 흐름이다. 우리는 성상 파괴주의와 성상 옹호주의의 이름으로 서구의 인식을 살펴보면서 단순히 서구의 문화를 비판한다거나 옹호하는 자세를 갖지 않으려 애썼고 섣부른 결론이나 대답을 구하려 하지 않으면서 이 글을 맺는 것이 좋을 듯싶다. 올바른 단 하나의 대답을 구하려고 애써온 서구의 문화를 살펴보면서 그리고 그 오류를 어느 정도 지적하면서 하나의 정답을 찾으려 하는 것은 무리가 아니겠는가?

어쨌든 다행스럽게도, 서구의 그 오래된 로고스 중심주의를 자성하고 비판하는 새로운 인식론적 경향들이 서구 내부에서 꽤 오래전부터 생겨나 우리의 눈길을 끌고 있다. 정신분석학, 민속학, 심층 심리학, 인류학, 사회학 등 전 분야에서 일어나고 있는 그러한 새로운 인식의 흐름들은 그 연구 분야의 다양성에도 불구하고 상상력과 이미지에 새로운 가치를 부여한다는 공통 분모를 지니고 있으며, 심지어는 최첨단의 자연과학 이론에서도 상상력과 이미지의 중요성이 강조되기도 한다. 우리는 이미지의 범람 현상보다는 차라리 그러한 움직임을 새로운 성상 옹호주의 흐름이라고 명명하고 싶어진다.

주

1) 기원후 3세기에 페르시아 왕국의 마니가 창시한 이란 고유의 종교. 고대 페르시아의 조로아스터교(拜火敎)에서 파생되고, 그리스도교와 불교의 여러 요소를 가미한 종교로서, 교조(敎祖) 마니의 이름을 따서 마니교라고 불렀다. 마니교는 당시 교세가 급격히 발전하여 중앙 아시아 일대와 로마 제국에까지 확장되고, 다시 인도·중국에까지 전파되었으나 13~14세기에 쇠퇴·소멸하였다. 그러나 마니교는 동·서양세계를 문화적·종교적으로 결부시키는 가교적 역할을 한 공로가 크다.
2) 354~430. 북아프리카 타가스테(지금의 수크 아라스로 당시 로마의 속지) 출생. 성인(聖人). 카르타고 등지로 유학하고 수사학(修辭學) 등을 공부하여, 당시로서는 최고의 교육을 받았다. 로마 제국 말기 청년 시절을 보내며 한때 타락한 생활에 빠지기도 하였으나, 지적 탐구에 강렬한 관심이 쏠려 10년간 선악이원론(善惡二元論)과 체계화되기 시작한 우주론(宇宙論)을 주장하는 마니교로 기울어졌다. 그후 그는 회의기를 보내며 신(新)플라톤주의에서 그리스도교에 이르기까지 정신적 편력을 하였다. 그의 생애는 주요 저서라고 할 수 있는『고백록(告白錄) *Confessions*』에 기술되어 있다
3) 12, 13세기에 유럽에서 위세를 떨친 그리스도교 이단(異端). 청정무구(淸淨無垢)를 의미하며, 물질을 악의 근원이라 해서 신과 대립시키는 이원론(二元論)과 육식·결혼생활·재산의 사유 등을 부정하는 극단적인 금욕주의가 특징이다.
4) 유평근,「보들레르 연구 ; 이원론을 중심으로」,『石潭 金鵬九 敎授 華甲 紀念論文集』, 民音社, 1982, p.249.
5) Simone Pétrement,『플라톤의 이원론, 영지주의와 마니케이즘 *Le dualisme chez Platon, les gnostiques et les manichéens*』, Presses Univ. de France, 1947, p.120.
6) 1225~1274. 중세 유럽의 스콜라 철학을 대표하는 이탈리아 신학자. 전 생애에 걸쳐 아리스토텔레스의 연구에 몰두했으며, 그 연구를 바탕으로 그리스도교 철학을 완성한다. 그는 신(神) 중심의 입장을 유지한 신학자이면서도 인간의 상대적

자율성을 확립함으로써 훗날 초월적인 가치를 배제한 인간 중심적·세속적 근대 사상을 낳는 기점이 되었다.

7) R. Descartes, 『굴절광학 *La dioptrique*』, Œuvres, Garnier, t. I, p.685.

8) 1798~1857. 프랑스 실증주의 사상가. 그는 인간 지식의 발전 단계를 신학의 단계, 형이상학의 단계, 실증주의의 단계로 구분하고 최후의 실증적 단계가 참다운 과학적 지식의 단계라고 주장했다. 소르본 광장에 세워져 있는 그의 동상은 프랑스 대학 제도와 교육 내용이 아직 그의 실증주의에 입각해 있음을 단적으로 보여준다.

9) 690~749년경. 그리스의 신학자. 다마스쿠스의 성 요한이라고도 한다. 그는 신플라톤주의에 입각해서 성상은 신의 상징적 이미지에 지나지 않으며 신은 육화(肉化)를 통해 인간이 되었기 때문에 이미지 창조는 정당하다고 보았다. 특히 성화상은 '침묵의 설교' '하느님의 신비를 담은 기록' '문맹자를 위한 교리서'라고 설명하였다.

10) 1221~1274. 이탈리아의 신학자. 성 프란체스코의 영향을 받아 신비적인 사색을 중시했으며, 프란체스코주의 제2의 창건자로 간주된다.

성상 파괴주의와 성상 옹호주의

초판발행 2003년 9월 30일 | 2쇄발행 2005년 12월 15일
지은이 진형준
펴낸이 심만수 | 펴낸곳 (주)살림출판사
주소 413-756 경기도 파주시 교하읍 문발리 파주출판도시 522-2
출판등록 1989년 11월 1일 제9-210호
전화번호 영업 · (031)955-1350 기획 · (031)955-1370~2
편집 · (031)955-1362~3
팩스 (031)955-1355
e-mail salleem@chol.com
홈페이지 http://www.sallimbooks.com

ⓒ (주)살림출판사, 2003 ISBN 89-522-0136-1 04230
ISBN 89-522-0096-9 04080 (세트)

* 잘못된 책은 구입하신 서점에서 바꾸어 드립니다.
* 저자와의 협의에 의해 인지를 생략합니다.

값 9,800원